COUP DE POUCE

COLLECTION
CULINAIRE

PLATS
PRINCIPAUX

Les compagnies canadiennes suivantes ont participé à la production
de cette collection: Colour Technologies, Fred Bird & Associates Limited,
Gordon Sibley Design Inc., On-line Graphics, Les Éditions Télémédia Inc. et
The Madison Book Group Inc.

Coup de pouce est une marque déposée des Éditions Télémédia Inc.
Tous droits réservés, qu'ils aient été déposés ou non.

Nous remercions pour leur contribution
Drew Warner, Joie Warner et Flavor Publications.

Cette collection est une production de:
The Madison Book Group Inc.
40 Madison Avenue
Toronto, Ontario
Canada
M5R 2S1

PLATS PRINCIPAUX

■ *Couverture:*
Côtelettes de porc
aux fruits (p. 38).

Voici plus de 60 façons d'égayer la préparation de vos repas quotidiens. Ces recettes, aussi rapides que savoureuses, telles que les *Poitrines de poulet grillées à l'ail et au gingembre*, les *Mini-pains de viande au fromage*, les *Côtelettes de porc au gratin*, les *Pâtés de saumon et de maïs avec sauce à l'aneth et au concombre* et les *Côtelettes d'agneau à la moutarde*, deviendront à coup sûr vos favorites pour des repas en famille ou entre amis. Vous trouverez aussi dans ce livre des recettes au micro-ondes, toujours pratiques, des suggestions concernant le service, des trucs et conseils, et plus encore!

Plats principaux est un des huit livres de la COLLECTION CULINAIRE COUP DE POUCE. Chaque livre présente des plats faciles et savoureux que vous ne vous lasserez pas de cuisiner. Toutes les recettes de la collection ont été sélectionnées et expérimentées avec soin pour vous assurer des résultats parfaits en tout temps. En collectionnant les huit livres, vous pourrez choisir parmi plus de 500 plats ceux qui, jour après jour, donneront un air de fête à tous vos repas.

Carole Schinck

Carole Schinck
Rédactrice en chef, *Coup de pouce*

Tacos au poulet

Appréciés de tous, ces sandwichs chauds peuvent être garnis d'une petite cuillerée de crème sure ou de yogourt.

1 lb	poitrines de poulet désossées, sans la peau	500 g
4	tortillas à la farine de blé (8 po/20 cm)	4
1	oignon, tranché	1
	Sel et poivre	

MARINADE

3 c. à tab	huile végétale	45 ml
3 c. à tab	jus de lime	45 ml
1 c. à tab	sauce Worcestershire	15 ml
2	gousses d'ail, hachées fin	2
1 c. à thé	cumin	5 ml
	Une pincée de flocons de piment fort	

GARNITURES

1/2 t	salsa ou sauce taco	125 ml
1/2 t	fromage râpé	125 ml
1/2 t	poivron vert haché	125 ml
1 t	laitue coupée en lanières	250 ml

■ **Marinade:** Dans un bol, mélanger 1 c. à table (15 ml) d'huile, le jus de lime, la sauce Worcestershire, l'ail, le cumin et les flocons de piment fort. Couper le poulet en travers en bandes de 1/2 po (1 cm) de largeur. Mélanger avec la marinade et laisser reposer pendant 10 minutes. Égoutter et éponger, en réservant la marinade.

■ Entre temps, envelopper les tortillas dans du papier d'aluminium et les mettre dans un four préchauffé à 350°F (180°C) pendant 10 minutes ou jusqu'à ce qu'elles soient chaudes. (Ou, au moment de servir, faire chauffer au micro-ondes à puissance moyenne-forte (70 %) pendant 30 secondes.)

■ Dans une poêle, faire chauffer la moitié du reste de l'huile à feu vif. Y faire sauter le poulet pendant 4 à 5 minutes ou jusqu'à ce qu'il ait perdu sa teinte rosée à l'intérieur. Retirer le poulet de la poêle et le réserver. Ajouter le reste de l'huile dans la poêle et faire sauter l'oignon pendant 1 minute. Verser la marinade réservée dans la poêle et cuire, en brassant, pendant 30 secondes ou jusqu'à ce que la plus grande partie du liquide se soit évaporée. Remettre le poulet dans la poêle et réchauffer. Saler et poivrer.

■ **Garnitures:** Avec une cuillère, napper les tortillas de salsa. Couvrir de la préparation au poulet. Parsemer de fromage, de poivron vert et de laitue. Plier les tortillas en deux. Donne 4 portions.

Doigts de poulet cajun au micro-ondes

Comme ce plat se prépare en seulement 15 minutes, laissez vos enfants s'amuser à le cuisiner.

4	poitrines de poulet désossées, sans la peau (environ 1 lb/500 g)	4
1/3 t	mayonnaise	75 ml
2 c. à thé	jus de citron	10 ml
1/2 c. à thé	sauce Worcestershire	2 ml
1/4 c. à thé	moutarde sèche	1 ml
1	gousse d'ail, hachée fin	1
1/2 t	chapelure fine	125 ml
1/4 t	farine de maïs	60 ml
1 c. à thé	paprika	5 ml
1/2 c. à thé	origan séché	2 ml
1/2 c. à thé	poivre noir	2 ml
	Une pincée de cayenne	
	Sel	
	Trempette (voir recette)	

■ Couper le poulet en diagonale en languettes de 1/2 po (1 cm) de largeur. Réserver.

■ Dans un petit bol, mélanger la mayonnaise, le jus de citron, la sauce Worcestershire, la moutarde et l'ail. Réserver. Dans un moule à tarte, bien mélanger la chapelure, la farine de maïs, le paprika, l'origan, le poivre et le cayenne.

■ Tremper les languettes de poulet dans la mayonnaise, puis les enrober de chapelure en pressant pour bien faire adhérer. Disposer la moitié des languettes de poulet sur une plaque allant au micro-ondes. Cuire au micro-ondes, à découvert, à puissance maximale, en tournant le plat une fois, pendant 2 à 3 minutes ou jusqu'à ce que le poulet ait perdu sa teinte rosée à l'intérieur. Disposer dans un plat de service et faire cuire le reste des languettes de poulet. Saler et servir avec la trempette. Donne 4 portions.

TREMPETTE

1/4 t	yogourt nature	60 ml
1/4 t	mayonnaise	60 ml
2 c. à tab	gelée de piment de Cayenne	30 ml

■ Dans un petit bol, mélanger le yogourt, la mayonnaise et la gelée. Donne environ 1/2 tasse (125 ml) de sauce.

Poitrines de poulet grillées à l'ail et au gingembre

Si vous ne disposez pas d'un petit hachoir pour hacher l'ail et le gingembre, hachez-les le plus finement possible avec un couteau. Servez le poulet avec des haricots beurre et du riz garni de poivron jaune haché.

1 lb	poitrines de poulet désossées, sans la peau	500 g
2 c. à tab	jus de citron	30 ml
2	gousses d'ail, hachées fin	2
2 c. à thé	racine de gingembre hachée fin	10 ml
2 c. à thé	huile d'olive	10 ml
1 c. à thé	cumin	5 ml
	Poivre	

■ Entre deux feuilles de papier ciré, aplatir les poitrines de poulet jusqu'à ce qu'elles aient 1/2 po (1 cm) d'épaisseur. Mélanger le jus de citron, l'ail, le gingembre, l'huile et le cumin. Étendre sur le poulet et laisser mariner pendant 10 minutes à la température de la pièce. Faire griller sur une grille huilée au-dessus d'une braise d'intensité moyenne-vive, ou à puissance maximale sur le barbecue au gaz, ou au four, pendant 2 à 3 minutes sur chaque côté ou jusqu'à ce que le poulet ait perdu sa teinte rosée à l'intérieur. Poivrer et servir. Donne 4 portions.

Poulet sauté aux pommes

Pour réaliser cette recette, utilisez des pommes Cortland, Empire ou Golden Delicious, car celles-ci garderont leur forme à la cuisson. Accompagnez de nouilles aux oeufs et d'une salade verte.

4 c. à thé	huile végétale	20 ml
2	pommes (non pelées), tranchées finement	2
1	oignon, tranché	1
1/2 c. à thé	thym séché	2 ml
4	poitrines de poulet, désossées et sans la peau	4
1 t	jus de pomme	250 ml
1 c. à tab	vinaigre de cidre	15 ml
1 c. à tab	fécule de maïs	15 ml
	Sel et poivre	

■ Dans une poêle à frire épaisse, faire chauffer la moitié de l'huile à feu moyen-vif. Y cuire les pommes, l'oignon et le thym pendant environ 4 minutes ou jusqu'à ce que les pommes soient tendres et croquantes. Réserver dans un bol.

■ Faire chauffer le reste de l'huile dans la poêle et y cuire le poulet, en le retournant une fois, pendant 2 à 3 minutes ou jusqu'à ce qu'il soit bien doré. Réduire le feu à moyen-doux. Ajouter le jus de pomme, sauf 1 c. à table (15 ml), et le vinaigre. Couvrir et laisser mijoter pendant 6 à 8 minutes. À l'aide d'une écumoire, retirer le poulet de la poêle et le réserver au chaud.

■ Mélanger la fécule de maïs avec le jus de pomme réservé. Ajouter dans la poêle et cuire à feu vif, en brassant et en détachant les particules qui ont adhéré au fond de la poêle, pendant 2 minutes ou jusqu'à ce que la sauce soit épaisse. Remettre les pommes dans la poêle et réchauffer. Saler et poivrer. Napper le poulet de la préparation aux pommes ou servir à côté. Donne 4 portions.

Pâtés de poulet au fromage

Le poulet haché est maintenant vendu dans de nombreux supermarchés, et il est excellent apprêté en hamburgers. Vous pouvez tout aussi bien faire griller les pâtés de poulet au four ou sur le barbecue.

1	blanc d'oeuf	1
1/2 t	oignons verts hachés fin	125 ml
1/4 t	persil frais haché fin	60 ml
2 c. à tab	chapelure	30 ml
2 c. à tab	eau	30 ml
1 c. à thé	moutarde de Dijon	5 ml
1/4 c. à thé	sel, basilic ou thym séché (chacun)	1 ml
1	gousse d'ail, hachée fin	1
1 lb	poulet haché	500 g
6	tranches de fromage	6

■ Dans un bol, fouetter le blanc d'oeuf. Y incorporer, en fouettant, les oignons verts, le persil, la chapelure, l'eau, la moutarde, le sel, le basilic et l'ail. Mélanger avec le poulet et façonner 6 pâtés d'environ 1/2 po (1 cm) d'épaisseur.

■ Dans une poêle à revêtement anti-adhésif légèrement graissée, cuire les pâtés à feu moyen pendant 5 minutes sur chaque côté ou jusqu'à ce qu'ils soient bien dorés et aient perdu leur teinte rosée à l'intérieur. Couvrir chacun d'une tranche de fromage, couvrir la poêle et cuire pendant 1 à 2 minutes ou jusqu'à ce que le fromage soit fondu. Donne 6 portions.

Poulet à l'estragon au micro-ondes

Simple et facile à préparer, ce plat de poulet est absolument délicieux.

4	poitrines de poulet, désossées et sans la peau	4
3 c. à tab	échalotes hachées fin	45 ml
1/4 t	bouillon de poulet	60 ml
2 c. à tab	vinaigre d'estragon	30 ml
2/3 t	crème à 10 %	150 ml
1 c. à tab	fécule de maïs	15 ml
1 c. à tab	moutarde à l'ancienne	15 ml
1 1/2 c. à thé	estragon séché	7 ml
	Sel et poivre	

■ Disposer les morceaux de poulet sur le pourtour d'un moule à tarte allant au micro-ondes de 10 po (25 cm). Parsemer des échalotes hachées. Mélanger le bouillon et le vinaigre, et verser sur le poulet. Couvrir et cuire au micro-ondes à puissance maximale pendant 4 à 6 minutes, en retournant le poulet et en tournant le moule une fois, ou jusqu'à ce que la viande ait perdu sa teinte rosée à l'intérieur et que le thermomètre à viande indique 185°F (85°C). Retirer le poulet du moule et réserver au chaud.

■ Mélanger la crème et la fécule, et incorporer au liquide de cuisson dans le moule. Cuire à puissance maximale pendant 2 à 3 minutes ou jusqu'à ce que le liquide soit épais, en brassant une fois. Incorporer la moutarde et l'estragon, du sel et du poivre au goût. Disposer les morceaux de poulet dans les assiettes et napper de sauce. Donne 4 portions.

Fajitas au poulet

Si vous ne pouvez vous procurer de piment banane fort, remplacez-le par une petite quantité de sauce au piment fort. Et n'oubliez pas de porter des gants de caoutchouc lorsque vous manipulez le piment.

4	poitrines de poulet désossées, sans la peau	4
1/4 t	bouillon de poulet	60 ml
2 c. à tab	jus de lime	30 ml
2	gousses d'ail, hachées fin	2
1 c. à thé	cumin	5 ml
1/2 c. à thé	coriandre moulue	2 ml
1/4 c. à thé	poivre	1 ml
4	tortillas à la farine de blé de 8 po (20 cm)	4
2 c. à tab	huile végétale	30 ml
1	oignon, émincé	1
1	petit poivron rouge, en fines lanières	1
1	piment banane fort, en fines lanières	1
	Sel	

	GARNITURE	
	Salsa ou sauce taco (facultatif)	
1	tomate, hachée	1
	Crème sure	

■ Couper le poulet en travers en bandes de 1/2 po (1 cm) de largeur. Dans un bol, mélanger le bouillon, le jus de lime, l'ail, le cumin, la coriandre et le poivre. Ajouter le poulet et mélanger pour bien l'enrober. Réserver.

■ Envelopper les tortillas dans du papier d'aluminium et les faire chauffer au four préchauffé à 350°F (180°C) pendant environ 10 minutes.

■ Entre temps, dans une poêle, faire chauffer la moitié de l'huile à feu vif. Égoutter le poulet en réservant la marinade. Éponger le poulet et le faire sauter dans la poêle pendant 4 à 5 minutes ou jusqu'à ce qu'il ait perdu sa teinte rosée à l'intérieur. Retirer de la poêle et réserver.

■ Ajouter le reste de l'huile dans la poêle et y faire sauter l'oignon, le poivron et le piment pendant 1 minute. Verser la marinade réservée dans la poêle et cuire, en brassant, pendant 30 secondes ou jusqu'à ce que la plus grande partie du liquide se soit évaporée. Remettre le poulet dans la poêle et le réchauffer. Saler et poivrer.

■ **Garniture:** Garnir chaque tortilla chaude de salsa et de tomate hachée, puis de la préparation au poulet. Replier les tortillas et garnir d'une cuillerée de crème sure. Donne 4 portions.

Ailes de poulet au romarin

Voici une façon des plus simples, et des plus savoureuses, d'apprêter les ailes de poulet.

2 lb	ailes de poulet	1 kg
1 c. à tab	jus de citron	15 ml
1 1/2 c. à thé	paprika	7 ml
1 1/2 c. à thé	romarin déshydraté broyé	7 ml
1 1/2 c. à thé	huile végétale	7 ml
	Sel et poivre	

■ Enlever le bout des ailes de poulet et séparer les ailes aux jointures.

■ Dans un plat de verre peu profond, mélanger les ailes avec le jus de citron, le paprika, le romarin et l'huile. Couvrir et laisser mariner au réfrigérateur pendant 1 à 8 heures.

■ Disposer les ailes sur une plaque. Faire griller à 4 po (10 cm) de la source de chaleur pendant 10 minutes. Retourner les ailes et les faire griller pendant 5 à 10 minutes ou jusqu'à ce qu'elles soient dorées. Saler et poivrer. Donne environ 30 morceaux.

Ragoût de poulet et de légumes

Ce ragoût peut également être apprêté avec du lapin.

2 c. à tab	huile végétale	30 ml
1 1/2 lb	cuisses de poulet	750 g
1	oignon rouge, haché	1
3	gousses d'ail, hachées fin	3
1/4 c. à thé	flocons de piment fort	1 ml
3	carottes	3
3	branches de céleri	3
3	grosses pommes de terre, pelées	3
1	boîte (19 oz/540 ml) de tomates prunes	1
1 t	vin rouge sec ou bouillon de boeuf	250 ml
1 t	pois chiches égouttés	250 ml
	Sel et poivre	
3 c. à tab	persil frais haché	45 ml

■ Dans un grand faitout à revêtement anti-adhésif, faire chauffer l'huile à feu moyen-vif. Y faire dorer le poulet pendant 5 minutes sur chaque côté. Retirer le poulet de la casserole et réserver.

■ Jeter le gras du faitout sauf 1 c. à thé (5 ml) et y faire cuire l'oignon, l'ail et les flocons de piment pendant 5 minutes ou jusqu'à ce que l'oignon soit tendre.

■ Entre temps, couper les carottes, le céleri et les pommes de terre en cubes de 1 1/2 po (4 cm). Ajouter dans le faitout. Incorporer les tomates en les défaisant avec une cuillère. Ajouter le poulet et le vin et amener à ébullition. Baisser le feu, couvrir et laisser mijoter pendant 35 à 45 minutes ou jusqu'à ce que le poulet soit tendre et que le jus qui s'en écoule soit clair. Ajouter les pois chiches et cuire pendant 10 minutes. Saler et poivrer. Parsemer de persil haché. Donne 4 portions.

Pilons de dinde à la sauce piquante

Apprêtés avec une sauce épicée, les pilons de dinde sont cuits lentement au four de façon à leur conserver toute leur tendreté. Servez-les avec une purée de pommes de terre ou du riz et des petits pois.

2 c. à tab	huile végétale	30 ml
1	petit oignon, haché	1
2 c. à tab	cassonade tassée	30 ml
3/4 t	ketchup	175 ml
1/4 t	jus de citron	60 ml
1 c. à tab	sauce Worcestershire	15 ml
1 c. à tab	moutarde de Dijon	15 ml
1 c. à thé	assaisonnement au chili	5 ml
	Un filet de sauce au piment fort	
6	petits pilons de dinde (3 lb/1,5 kg)	6

■ Dans une petite casserole à fond épais, faire chauffer l'huile à feu moyen. Y cuire l'oignon, en brassant, pendant 3 minutes.

■ Réduire le feu à doux. Ajouter la cassonade et cuire, en brassant, pendant 2 minutes. Retirer du feu. Incorporer le ketchup, le jus de citron, la sauce Worcestershire, la moutarde, l'assaisonnement au chili et la sauce au piment fort.

■ Disposer les pilons en une seule couche dans un plat de cuisson (non en aluminium) de 13 × 9 po (3 L). Verser uniformément la sauce sur les pilons. Couvrir et cuire au four préchauffé à 350°F (180°C), en arrosant de temps à autre, pendant 1 heure. Dégraisser la sauce si nécessaire. Découvrir les pilons et cuire pendant encore 45 minutes ou jusqu'à ce que les pilons soient tendres. Donne 6 portions.

Poulet au café

Ce plat à la saveur piquante s'accompagne très bien de riz et d'un légume vert.

1/4 t	café fort	60 ml
1/4 t	ketchup	60 ml
2 c. à tab	cassonade tassée	30 ml
2 c. à tab	sauce Worcestershire	30 ml
1 c. à tab	vinaigre	15 ml
1 c. à tab	jus de citron	15 ml
4	cuisses de poulet (2 lb/1 kg)	4

■ Dans une petite casserole (ou une tasse à mesurer allant au micro-ondes), mélanger le café, le ketchup, la cassonade, la sauce Worcestershire, le vinaigre et le jus de citron. Amener à ébullition, baisser le feu et laisser mijoter pendant 5 minutes (ou cuire au micro-ondes à puissance maximale pendant 2 à 3 minutes ou jusqu'à ce que le liquide bouille, puis poursuivre la cuisson à puissance moyenne (50 %) pendant 2 minutes, en brassant une fois).

■ Disposer les morceaux de poulet en une seule couche dans un plat peu profond allant au four. Verser la sauce par-dessus. Couvrir et faire mariner au réfrigérateur pendant 1 à 8 heures. Cuire au four préchauffé à 375°F (190°C) pendant 45 à 50 minutes, en arrosant souvent avec la sauce, ou jusqu'à ce que le poulet soit bien doré et que le jus qui s'en écoule soit clair. Donne 4 portions.

Enchiladas au boeuf

Utilisez un reste de rôti de boeuf pour préparer ce délicieux plat familial, ou procurez-vous un morceau de boeuf au comptoir des viandes cuites et coupez-le en cubes.

1 c. à tab	huile végétale	15 ml
1	oignon, tranché	1
1	poivron vert, tranché	1
1	poivron rouge ou jaune, tranché	1
1	gousse d'ail, hachée fin	1
2 t	cubes de rôti de boeuf (environ 3/4 lb/375 g)	500 ml
1 1/2 t	sauce taco	375 ml
1 c. à thé	cumin	5 ml
	Poivre	
6	tortillas à la farine de blé (7 po/18 cm)	6
1 t	cheddar râpé	250 ml
1/2 t	crème sure	125 ml
2 c. à tab	oignon vert haché	30 ml

■ Dans une poêle, faire chauffer l'huile à feu moyen. Y cuire l'oignon, les poivrons et l'ail pendant 3 minutes ou jusqu'à ce que l'oignon soit ramolli et les poivrons tendres-croquants. Retirer du feu et incorporer les cubes de boeuf, 1/2 tasse (125 ml) de sauce taco, le cumin et du poivre au goût.

■ Avec une cuillère, déposer au centre de chaque tortilla 3/4 tasse (175 ml) de la préparation à la viande. Parsemer chacune de 1 c. à table (15 ml) de fromage râpé. Replier la tortilla sur la garniture en faisant se chevaucher légèrement les bords. Disposer les tortillas, le pli sur le dessus, dans un plat allant au four ou au micro-ondes de 11 × 7 po (2 L). Napper les tortillas du reste de sauce taco. Napper le centre des tortillas de crème sure.

■ **Cuisson au four:** Parsemer les tortillas du reste de fromage râpé et cuire au four préchauffé à 350°F (180°C) pendant 30 minutes ou jusqu'à ce que les enchiladas soient bien chaudes. Parsemer d'oignon vert.

■ **Cuisson au micro-ondes:** Couvrir le plat d'une pellicule de plastique en laissant un coin à découvert et cuire au micro-ondes à puissance moyenne (50 %), en tournant le plat deux fois, pendant 8 à 10 minutes ou jusqu'à ce que les enchiladas soient bien chaudes. Parsemer du reste de fromage et de l'oignon vert. Couvrir et laisser reposer pendant 3 minutes. Donne 6 portions.

Ragoût de boeuf au four

Faites dorer la viande pendant que vous amenez à ébullition le reste du ragoût, puis faites-les cuire ensemble au four, à basse température. Si vous le désirez, vous pouvez ajouter d'autres légumes cuits (pommes de terre, panais, navets) au ragoût à la fin de la cuisson.

2 lb	boeuf à ragoût, en cubes	1 kg
1/4 t	farine	60 ml
1/2 c. à thé	sel	2 ml
1/4 c. à thé	poivre	1 ml
2 t	bouillon de boeuf	500 ml
1/2 t	vin rouge sec	125 ml
1	boîte (14 oz/398 ml) de tomates, non égouttées	1
5	carottes, tranchées	5
2	oignons, tranchés	2
1 1/2 t	champignons tranchés (1/4 lb/125 g)	375 ml
1/2 c. à thé	romarin déshydraté broyé	2 ml

■ Mettre le boeuf, la farine, le sel et le poivre dans un sac et agiter pour bien enrober les cubes de viande. Disposer sur une plaque et cuire au four préchauffé à 500°F (260°C) pendant 10 à 15 minutes ou jusqu'à ce que les cubes soient légèrement dorés.

■ Entre temps, dans un grand faitout, mélanger le bouillon de boeuf, le vin, les tomates (en les défaisant avec une fourchette), les carottes, les oignons, les champignons et le romarin. Amener à ébullition et ajouter les cubes de boeuf. Cuire au four préchauffé à 300°F (150°C) pendant 2 heures ou jusqu'à ce que le boeuf soit tendre. Donne 6 portions.

Mini-pains de viande au fromage

Ces petits pains de viande individuels cuisent beaucoup plus vite que les pains de viande traditionnels. Aussi pouvez-vous les préparer un soir de la semaine. Garnis de fromage, ils sont doublement savoureux.

1 lb	boeuf haché	500 g
1/4 t	chapelure	60 ml
1	oeuf, légèrement battu	1
2 c. à tab	oignon finement haché	30 ml
1/2 c. à thé	sel	2 ml
1/4 c. à thé	poivre	1 ml
1 t	fromage suisse râpé	250 ml
1/4 t	poivron vert en dés	60 ml
2 c. à tab	mayonnaise	30 ml
1 c. à thé	moutarde de Dijon	5 ml
1 c. à thé	sauce Worcestershire	5 ml

■ Dans un bol, mélanger le boeuf haché, la chapelure, l'oeuf, l'oignon, le sel et le poivre. Dans un petit bol, mélanger le fromage, le poivron, la mayonnaise, la moutarde et la sauce Worcestershire.

■ Façonner la préparation en 8 pâtés ovales. Couvrir 4 pâtés avec la préparation au fromage et recouvrir des 4 autres pâtés en pressant fermement les bords ensemble.

■ Déposer les 4 pains de viande sur une grille dans un plat de 13 × 9 po (3,5 L). Cuire au four préchauffé à 375°F (190°C) pendant 25 à 30 minutes ou jusqu'à ce que les pains de viande soient dorés et aient perdu leur teinte rosée à l'intérieur. Donne 4 portions.

Ragoût de boeuf au four ▶

Pain de viande sauce brune

Ce pain de viande à l'ancienne, tendre et moelleux, est délicieux servi avec une purée de pommes de terre.

1/2 lb	boeuf haché	250 g
1/2 lb	porc haché maigre	250 g
1/2 lb	veau haché	250 g
1	oignon, haché fin	1
1	grosse branche de céleri, hachée fin	1
1	grosse carotte, râpée	1
3/4 t	flocons d'avoine	175 ml
1/2 t	lait en poudre écrémé	125 ml
2 t	bouillon de boeuf	500 ml
1 c. à thé	thym séché	5 ml
1/2 c. à thé	sauge, sel, poivre et moutarde (chacun)	2 ml
	Une pincée de piment de la Jamaïque	
2 c. à tab	farine	30 ml

■ Dans un bol, mettre les viandes hachées, l'oignon, le céleri, la carotte, les flocons d'avoine et le lait en poudre. Bien mélanger. Ajouter 1/2 tasse (125 ml) du bouillon de boeuf, le thym, la sauge, le sel, le poivre, la moutarde et le piment de la Jamaïque. Bien mélanger. Mettre la préparation dans un moule à pain de 8 × 4 po (1,5 L).
■ Cuire au four préchauffé à 350°F (180°C) pendant 30 minutes. Verser 1/2 tasse (125 ml) de bouillon de boeuf sur le pain de viande et cuire pendant encore 45 minutes ou jusqu'à ce que le thermomètre à viande indique 170°F (75°C).
■ Mélanger la farine avec le reste du bouillon (1 t/250 ml). Égoutter le jus de cuisson du pain de viande dans une casserole, ajouter le bouillon de boeuf et cuire, en brassant, à feu moyen-vif jusqu'à ce que la sauce soit épaisse. Servir avec le pain de viande. Donne 6 portions.

(de gauche à droite) Pain de viande sauce chili (p. 20); Pain de viande roulé aux épinards et aux champignons; Pain de viande sauce brune. ▶

Pain de viande roulé aux épinards et aux champignons

Qu'il soit servi chaud ou froid, ce pain de viande roulé fera un bel effet dans les assiettes.

1 lb	boeuf haché	500 g		1/4 t	beurre	60 ml
1/2 lb	porc haché maigre	250 g		1 t	champignons tranchés	250 ml
1 t	cheddar râpé	250 ml		1/2 t	oignon haché	125 ml
1/2 t	chapelure fine	125 ml		1/4 t	persil frais haché	60 ml
1	oeuf, battu	1		1/2 t	chapelure fine	125 ml
2 c. à thé	sauce Worcestershire	10 ml		1	oeuf	1
3/4 c. à thé	sel	4 ml		1/2 c. à thé	sel	2 ml
1/4 c. à thé	poivre	1 ml			Une pincée de poivre et de muscade	
	GARNITURE					
1	paquet (10 oz/300 g) d'épinards, parés	1				

■ **Garniture:** Laver les épinards. Secouer un peu les feuilles et les faire cuire, sans eau additionnelle, jusqu'à ce qu'elles soient ramollies. Égoutter et presser pour bien assécher. Hacher grossièrement.

■ Dans une poêle, faire fondre le beurre à feu moyen. Y cuire les champignons et l'oignon jusqu'à ce que ce dernier soit translucide. Mettre dans un bol. Ajouter les épinards, le persil, la chapelure, l'oeuf, le sel, le poivre et la muscade. Bien mélanger.

■ Dans un bol, mélanger le boeuf, le porc, le fromage, la chapelure, l'oeuf, la sauce Worcester-shire, le sel et le poivre. Mettre la préparation à la viande entre deux feuilles de papier ciré et l'abaisser en un rectangle de 18 × 8 po (45 × 20 cm). Retirer la feuille du dessus et étendre uniformément, en laissant une bordure de 1/2 po (1 cm), la préparation aux épinards par-dessus celle à la viande. Rouler à l'aide du papier ciré. Déposer dans un moule à pain de 8 × 4 po (1,5 L). Cuire au four préchauffé à 350°F (180°C) pendant 1 heure ou jusqu'à ce que le pain soit brun et que le thermomètre à viande indique 170°F (75°C). Donne 6 portions.

Pain de viande sauce chili

Il vous sera difficile de trouver une recette de pain de viande plus simple à réaliser. La sauce chili lui donne couleur et saveur.

1 1/2 lb	boeuf haché	750 g
3/4 t	flocons d'avoine	175 ml
1	carotte, râpée	1
1/2 t	oignon haché fin	125 ml
1/2 t	lait	125 ml
1	oeuf, battu	1
2 c. à thé	sauce Worcestershire	10 ml
1/2 c. à thé	moutarde sèche et sel (chacun)	2 ml
1/4 c. à thé	poivre	1 ml
1/2 t	sauce chili	125 ml

■ Dans un bol, mettre le boeuf, les flocons d'avoine, la carotte, l'oignon, le lait, l'oeuf, la sauce Worcestershire, la moutarde, le sel et le poivre. Bien mélanger. Mettre la préparation dans un moule à pain de 8 × 4 po (1,5 L). Avec une cuillère, napper le pain de viande de la moitié de la sauce chili. Cuire au four préchauffé à 350°F (180°C) pendant 1 heure ou jusqu'à ce que le pain soit brun et que le thermomètre à viande indique 170°F (75°C). Servir avec le reste de la sauce. Donne 6 portions.

Bifteck grillé aigre-doux

Tous les vôtres raffoleront de ce bifteck au petit goût piquant d'orange.

2 lb	tranche de boeuf sans os dans la palette ou le haut-de-côte (1 po/2,5 cm d'épaisseur), parée	1 kg
	MARINADE	
1/2 t	sauce soya	125 ml
1/4 t	vinaigre	60 ml
1/4 t	jus d'orange	60 ml
2 c. à tab	marmelade d'orange	30 ml
1	gousse d'ail, broyée	1
1 c. à thé	piment chili vert haché fin (ou 1/4 c. à thé/1 ml de chili déshydraté broyé)	5 ml

■ **Marinade:** Dans un plat peu profond, non métallique, bien mélanger la sauce soya, le vinaigre, le jus d'orange, la marmelade, l'ail et le chili. Ajouter le boeuf et le retourner pour bien l'enrober de la marinade. Couvrir et mettre au réfrigérateur pendant au moins 8 heures ou jusqu'à 24 heures, en retournant le boeuf de temps à autre.

■ Retirer le boeuf de la marinade et réserver celle-ci. Déposer le bifteck sur une grille huilée au-dessus d'une braise d'intensité moyenne-vive, ou à puissance moyenne sur le barbecue au gaz. Cuire, en badigeonnant de temps à autre avec la marinade, pendant 4 à 5 minutes sur chaque côté pour une cuisson à point-saignant. Couper en diagonale en fines tranches et servir. Donne 6 portions.

Chili con carne

Cette recette est une version adoucie, et rapide, du chili con carne. Au moment de servir, vous pouvez garnir chaque assiettée de fromage râpé, de laitue coupée en lanières ou de crème sure. Si vous préférez le chili plus épicé, ajoutez un peu plus d'assaisonnement au chili.

1 c. à tab	huile végétale	15 ml
2 lb	boeuf haché maigre	1 kg
1 t	oignons grossièrement hachés	250 ml
1	gros poivron vert, coupé en morceaux de 1/2 po (1 cm)	1
2	gousses d'ail, hachées fin	2
2 c. à tab	assaisonnement au chili	30 ml
2 c. à thé	origan séché	10 ml
2 c. à thé	cumin	10 ml
1 1/2 c. à thé	sel	7 ml
	Poivre	
1	boîte (28 oz/796 ml) de tomates, non égouttées	1
2	boîtes (19 oz/540 ml chacune) de haricots, égouttés	2

■ Dans un faitout ou une grande casserole, faire chauffer l'huile à feu moyen-vif. Y cuire le boeuf, en brassant pour le défaire en morceaux, les oignons, le poivron et l'ail pendant 6 à 8 minutes ou jusqu'à ce que le boeuf soit bruni et les légumes tendres.

■ Incorporer l'assaisonnement au chili, l'origan, le cumin, le sel et du poivre au goût. Ajouter les tomates et amener à ébullition. Baisser le feu et laisser mijoter à découvert pendant 20 minutes, ou jusqu'à ce que la préparation ait légèrement épaissi, en brassant de temps à autre.

■ Ajouter les haricots et réchauffer en brassant. Servir dans des bols à soupe. Donne 6 à 8 portions.

UN CHILI EN MOINS DE DEUX

Il existe autant de recettes de chili qu'il y a de chefs. Mais peu de recettes sont aussi faciles et rapides que celle du Chili con carne donnée ici. Mélangez simplement les ingrédients de la recette et laissez mijoter le tout pendant que vous préparez des Muffins à la farine de maïs (voir Muffins et biscuits, p. 11). Lorsque les muffins seront prêts, votre repas le sera également. Pour dessert, hachez quelques pommes ou quelques poires et mélangez-les avec du yogourt nature.

Sauté de boeuf et de poivrons

La sauce aux huîtres est vendue dans les magasins d'alimentation orientale et dans les poissonneries. Préparez tous les ingrédients avant de commencer à cuire le plat. Accompagnez-le de riz.

1/2 lb	boeuf (filet ou aloyau)	250 g
1 c. à tab	vinaigre de vin rouge	15 ml
1 c. à tab	sauce soya	15 ml
2 c. à thé	racine de gingembre hachée fin	10 ml
1	grosse gousse d'ail, hachée fin	1
2 c. à tab	huile végétale	30 ml
1	oignon, émincé	1
2	poivrons (1 rouge, 1 vert), coupés en lanières	2
2 c. à tab	sauce aux huîtres	30 ml
1/2 c. à thé	huile de sésame	2 ml
1 c. à thé	fécule de maïs	5 ml
1/4 t	bouillon de boeuf	60 ml

■ Couper le boeuf, dans le sens contraire des fibres, en fines tranches d'environ 2 po (5 cm) de longueur et de 1/8 po (3 mm) d'épaisseur. Dans un petit bol, mélanger le boeuf, le vinaigre, la sauce soya, le gingembre et l'ail. Couvrir et laisser mariner à la température de la pièce pendant 30 minutes.

■ Dans un wok ou une grande poêle à frire, faire chauffer la moitié de l'huile végétale à feu vif. Y faire sauter la préparation au boeuf pendant 2 minutes ou jusqu'à ce qu'elle soit dorée. Retirer le boeuf et le liquide du wok et réserver.

■ Faire chauffer le reste de l'huile végétale dans le wok et y faire sauter l'oignon et les poivrons pendant 2 minutes ou jusqu'à ce qu'ils soient tendres-croquants. Remettre le boeuf et le jus de cuisson dans le wok. Incorporer la sauce aux huîtres et l'huile de sésame.

■ Dissoudre la fécule dans 1 c. à table (15 ml) du bouillon de boeuf. Verser dans le wok avec le reste du bouillon. Cuire pendant 1 minute en brassant constamment. Donne 2 portions.

Ragoût de boeuf au micro-ondes

Grâce au micro-ondes, ce ragoût est prêt en moins d'une heure. Il suffit de faire dorer la viande et les oignons sur le feu pour leur conserver toute leur saveur et leur couleur.

1 lb	boeuf à ragoût, en cubes de 1 po (2,5 cm)	500 g
2 c. à tab	farine	30 ml
1 c. à tab	huile végétale	15 ml
4 t	oignons tranchés	1 L
1	gousse d'ail, hachée fin	1
1/3 t	eau	75 ml
3/4 t	bouillon de boeuf	175 ml
1/2 t	bière ou bouillon de boeuf	125 ml
1 c. à thé	thym séché	5 ml
1	feuille de laurier	1
	Une pincée de piment de la Jamaïque, de sel et de poivre	
1	carotte, hachée	1
1	branche de céleri, hachée	1
1 c. à thé	vinaigre de vin rouge	5 ml

■ Mélanger les cubes de boeuf avec la farine. Dans un grand poêlon, faire chauffer l'huile à feu moyen-vif et y faire dorer les cubes de boeuf pendant 6 à 8 minutes. Mettre dans une casserole d'une capacité de 12 tasses (3 L) allant au micro-ondes.

■ Ajouter les oignons et l'ail dans le poêlon. Verser l'eau et racler le fond du poêlon. Cuire pendant 8 à 10 minutes ou jusqu'à ce que les oignons soient brun doré. Ajouter à la viande. Ajouter le bouillon de boeuf, la bière et tous les assaisonnements. Couvrir et cuire au micro-ondes à puissance maximale pendant 5 minutes ou jusqu'à ce que le ragoût bouille. Brasser. Couvrir et cuire à puissance moyenne (50 %) pendant 20 minutes.

■ Ajouter la carotte et le céleri. Couvrir et cuire à puissance moyenne (50 %) pendant 25 à 30 minutes, jusqu'à ce que la viande soit tendre. Retirer la feuille de laurier. Incorporer le vinaigre et laisser reposer pendant 5 minutes. Donne 4 portions.

Brochettes de boeuf des Caraïbes

Joliment glacées, ces brochettes épicées sont absolument savoureuses.

2 lb	tranche de boeuf sans os dans la palette ou le haut-de-côte (1 po/2,5 cm d'épaisseur)	1 kg
	MARINADE	
1/2 t	jus de citron ou de lime	125 ml
1/4 t	huile végétale	60 ml
3 c. à tab	miel liquide	45 ml
1 c. à tab	piment fort haché fin	15 ml
1 c. à tab	racine de gingembre hachée	15 ml
1 c. à tab	sauce soya	15 ml
1 1/2 c. à thé	piment de la Jamaïque	7 ml
1/2 c. à thé	cannelle	2 ml
1/4 c. à thé	clou de girofle	1 ml

■ Parer le boeuf et le couper en cubes de 1 pouce (2,5 cm).

■ **Marinade:** Dans un bol non métallique, fouetter ensemble le jus de citron, l'huile, le miel, le piment, le gingembre, la sauce soya, le piment de la Jamaïque, la cannelle et le clou de girofle. Ajouter le boeuf et mélanger pour bien enrober de la marinade. Couvrir et réfrigérer pendant au moins 8 heures ou jusqu'à 24 heures, en brassant de temps à autre.

■ En réservant la marinade, enfiler les cubes sur des brochettes de métal huilées. Déposer sur une grille huilée au-dessus d'une braise d'intensité moyenne-vive, ou à puissance moyenne sur le barbecue au gaz. Cuire les brochettes, en les retournant une fois et en les arrosant de la marinade de temps à autre, pendant 7 à 10 minutes. Donne 6 portions.

Petit ragoût de boeuf

Il n'y a rien de plus simple à préparer, ni rien de plus savoureux, qu'un bon petit ragoût. Et, le lendemain, vous aurez en prime un merveilleux bouillon de boeuf déjà tout prêt pour faire une soupe. Accompagnez le ragoût de pain croustillant à l'ail.

3 1/2 lb	bouts de côtes de boeuf	1,75 kg
2	boîtes (10 oz/284 ml chacune) de bouillon de boeuf, non dilué	2
4	oignons	4
8	petites carottes	8
4	panais	4
1/4 t	persil frais haché	60 ml

■ Dans un grand faitout, mettre les bouts de côtes et le bouillon. Ajouter assez d'eau pour couvrir (environ 6 tasses/1,5 L). Amener à ébullition et écumer. Réduire le feu à moyen-doux et laisser mijoter, à demi couvert, pendant 2 heures.

■ Couper les oignons en deux dans le sens de la longueur mais ne pas couper les extrémités. Ajouter au boeuf avec les carottes et les panais (parés et entiers). Cuire, à demi couvert, pendant 20 à 25 minutes ou jusqu'à ce que les légumes soient tendres.

■ Disposer la viande et les légumes sur un plat de service. Dégraisser le bouillon. Napper la viande et les légumes d'un peu de bouillon et parsemer du persil haché. Servir le reste du bouillon en saucière. Donne 4 portions.

Boeuf à l'aubergine

Ce plat de boeuf a la merveilleuse saveur des mets du Moyen-Orient. Accompagnez-le de pain pita chaud et d'une salade verte garnie de tranches d'orange et d'olives noires.

1	aubergine (environ 1 lb/500 g)	1
	Sel	
1 lb	boeuf haché	500 g
1	petit oignon, haché	1
1	gousse d'ail, hachée fin	1
1/2 t	vin rouge sec ou eau	125 ml
1	boîte (7 1/2 oz/213 ml) de sauce tomate	1
2 c. à tab	persil frais haché	30 ml
3/4 c. à thé	origan séché	4 ml
1/2 c. à thé	cannelle	2 ml
1/4 c. à thé	poivre	1 ml
1 t	fromage mozzarella râpé (environ 4 oz/125 g)	250 ml
	Paprika	
	Parmesan frais râpé	

■ Peler l'aubergine et la couper en tranches de 1/2 po (1 cm) d'épaisseur. Saler légèrement les tranches d'aubergine et les déposer côte à côte sur des essuie-tout.

■ Entre temps, dans une grande poêle, cuire le boeuf, l'oignon et l'ail à feu moyen, en défaisant la viande avec une cuillère de bois, pendant 5 minutes ou jusqu'à ce que la viande soit brune. Jeter l'excès de gras de la poêle. Incorporer le vin, la sauce tomate, le persil, l'origan, la cannelle et le poivre.

■ Éponger les tranches d'aubergine et les déposer, en les faisant se chevaucher, sur la préparation à la viande. Couvrir et laisser mijoter à feu doux pendant 20 minutes ou jusqu'à ce que l'aubergine soit tendre, en retournant les tranches une fois.

■ Parsemer du fromage mozzarella et assaisonner de paprika. Servir aussitôt. Présenter le parmesan dans un petit bol. Donne 4 portions.

> **DU BON BOEUF**
>
> *Le boeuf haché est une viande économique et étonnamment nutritive. Toutes les coupes de boeuf sont d'excellentes sources de fer, de protéines complètes, de zinc et de niacine. Achetez du boeuf haché maigre qui ne contient pas plus de 17 pour cent de matières grasses et jetez l'excès de gras de la poêle lorsque vous faites cuire la viande.*

Hamburgers au fromage feta

Servez ces délicieux pâtés de boeuf dans des pains pita chauds.

1 1/2 lb	boeuf haché maigre	750 g
1/2 c. à thé	sel	2 ml
1/4 c. à thé	poivre	1 ml
1/4 c. à thé	cumin	1 ml
2 oz	fromage feta	60 g
2 c. à tab	menthe fraîche hachée (ou 2 c. à thé/10 ml de menthe séchée)	30 ml

■ Dans un bol, mélanger le boeuf, le sel, le poivre et le cumin. Diviser en 4 portions. Couper le fromage en 4 cubes, aplatir et parsemer de la menthe hachée. Façonner la viande en 4 pâtés en y insérant au centre les cubes de fromage à la menthe.

■ Faire cuire sur la grille huilée du barcecue au-dessus d'une braise vive, ou dans une poêle à frire à feu moyen-vif, pendant 12 à 14 minutes, en les retournant une fois. Donne 4 portions.

Rôti de boeuf teriyaki

La sauce soya claire donne à ce rôti un petit goût subtil, à la fois salé et sucré. Ce rôti est aussi savoureux servi à la température de la pièce.

1/2 t	sauce soya claire	125 ml
1/2 t	vin de riz doux ou xérès demi-sec	125 ml
2	gousses d'ail, hachées fin	2
4 c. à thé	sucre	20 ml
1 c. à tab	racine de gingembre râpée	15 ml
1	rôti de boeuf dans l'extérieur de ronde, sans os, d'environ 4 lb (2 kg)	1
2 c. à thé	graines de sésame	10 ml
1/2 t	eau	125 ml
1/4 t	bouillon de boeuf	60 ml
1 c. à tab	fécule de maïs	15 ml
1 c. à tab	oignon vert haché fin	15 ml

■ Dans un bol profond et assez large pour contenir le rôti, mélanger la sauce soya, le vin de riz, l'ail, le sucre et le gingembre. Y déposer le rôti et le retourner plusieurs fois pour bien l'enrober de sauce en le laissant côté gras sur le dessus. Couvrir et réfrigérer pendant 8 heures ou toute une nuit, en le retournant de temps à autre.

■ Égoutter le rôti, en réservant la marinade, et le déposer sur la grille d'une plaque à rôtir. Prélever 1/4 tasse (60 ml) de la marinade pour la sauce. Faire cuire le rôti, à découvert, dans un four préchauffé à 375°F (190°C) pendant 15 minutes. Réduire la chaleur du four à 325°F (160°C) et poursuivre la cuisson du rôti, en l'arrosant toutes les 15 minutes avec le reste de la marinade et le jus de cuisson, pendant environ 2 heures ou jusqu'à ce qu'un thermomètre à viande indique 140°F (60°C) pour une viande cuite à point-saignant, ou jusqu'au degré de cuisson désiré. Déposer le rôti dans un plat de service chaud, couvrir de papier d'aluminium et laisser reposer pendant 15 minutes.

■ Entre temps, dans une petite poêle, faire rôtir les graines de sésame à feu doux jusqu'à ce qu'elles soient dorées, en secouant la poêle de temps à autre. À l'aide du robot culinaire ou d'un petit hachoir, hacher les graines de sésame jusqu'à ce qu'elles aient la texture de gros grains de sable. Réserver.

■ Dans une casserole, mélanger la marinade réservée, l'eau et le bouillon, et chauffer à feu moyen. Dissoudre la fécule de maïs dans 1 c. à table (15 ml) d'eau et incorporer à la sauce. Amener à ébullition à feu moyen et cuire, en brassant, pendant 1 minute ou jusqu'à ce que la sauce soit épaisse. Incorporer les graines de sésame et l'oignon vert.

■ Couper le boeuf en tranches minces et disposer dans un plat de service. Napper les tranches de sauce. Donne 6 à 8 portions.

Pizza maison au boeuf et aux champignons

Tous ceux qui aiment la pizza raffoleront de ce plat: un fond de pâte à la texture de biscuit, une garniture savoureuse aux champignons, à la tomate et au boeuf, et du fromage fondant sur le dessus.

2 c. à tab	beurre	30 ml
1 lb	boeuf haché	500 g
1/2 lb	champignons, tranchés	250 g
1	gousse d'ail, hachée fin	1
1 c. à thé	origan séché	5 ml
	Une pincée de flocons de piment fort	
	Sel et poivre	
1	boîte (7 1/2 oz/213 ml) de sauce tomate	1
1/2 lb	fromage mozzarella, en tranches fines	250 g
	FOND DE PÂTE	
2 t	farine	500 ml
4 c. à thé	levure chimique (poudre à pâte)	20 ml
1 c. à tab	sucre	15 ml
1/2 c. à thé	sel	2 ml
1/2 t	graisse végétale (shortening)	125 ml
2/3 t	lait	150 ml
1	oeuf, battu	1

■ Dans une grande poêle, faire fondre le beurre à feu moyen-vif. Y cuire le boeuf, les champignons, l'ail, l'origan, les flocons de piment fort, du sel et du poivre au goût, en défaisant la viande avec une cuillère de bois, pendant 5 minutes ou jusqu'à ce que la viande soit brune. Incorporer la sauce tomate et cuire pendant 3 minutes ou jusqu'à ce que la sauce soit épaisse.

■ **Fond de pâte:** Dans un grand bol, mélanger la farine, la levure chimique, le sucre et le sel. À l'aide de deux couteaux ou d'un coupe-pâte, incorporer la graisse végétale jusqu'à ce que la préparation ressemble à une chapelure grossière. Mélanger le lait et l'oeuf, et ajouter aux ingrédients secs. Mélanger délicatement juste pour amalgamer les ingrédients.

■ Sur une surface farinée, avec les mains farinées, tourner la pâte dans la farine pour bien l'en enrober et la pétrir délicatement environ 20 fois. Étendre uniformément, en pressant, dans une plaque à pizza graissée de 12 po (30 cm) de diamètre. Couvrir de la préparation à la viande, puis des tranches de mozzarella. Cuire au four préchauffé à 450°F (230°C) pendant 25 minutes ou jusqu'à ce que la pâte soit bien dorée. Donne 4 bonnes portions.

Bifteck de flanc grillé et pommes de terre

Les pommes de terre de cette recette sont si délicieuses que tous les membres de votre famille en redemanderont. Servez ce plat avec des petits pois.

1 1/4 lb	bifteck de flanc	625 g
1/4 t	oignon haché fin	60 ml
2 c. à tab	sauce barbecue	30 ml
1	gousse d'ail, hachée finement	1
1/4 c. à thé	gingembre	1 ml
	Poivre	
3	pommes de terre (non pelées)	3
1/4 t	huile végétale	60 ml
1 c. à thé	origan séché	5 ml
	Sel	

■ Entailler le bifteck en diagonale sur les deux côtés. Déposer sur une plaque à rôtir graissée. Dans un petit bol, mélanger l'oignon, la sauce barbecue, l'ail, le gingembre et 1/4 c. à thé (1 ml) de poivre. Badigeonner le bifteck de la moitié de la préparation.
■ Couper les pommes de terre en tranches épaisses de 1/2 po (1 cm) et les disposer autour du bifteck. Badigeonner les pommes de terre de la moitié de l'huile, les parsemer de la moitié de l'origan, les saler et poivrer. Faire griller au four, à 4 po (10 cm) de la source de chaleur, pendant 5 minutes. Retourner le bifteck et le badigeonner avec le reste de la préparation à l'oignon. Remettre au four et faire griller pendant 4 à 6 minutes ou jusqu'au degré de cuisson désiré. Retirer le bifteck de la plaque et le déposer sur une planche à découper. Couvrir le bifteck de papier d'aluminium.
■ Retourner les pommes de terre, les badigeonner du reste de l'huile et les parsemer du reste de l'origan. Remettre au four et faire griller pendant 3 à 5 minutes ou jusqu'à ce qu'elles soient croustillantes. Émincer le bifteck. Saler et poivrer. Servir avec les pommes de terre. Donne 4 portions.

CUISSON SUR LE GRIL

La cuisson sur le gril permet d'apprêter facilement les coupes de viande maigres et tendres. Les viandes légèrement marbrées de gras sont savoureuses et tendres, et le gras fondra et s'écoulera durant la cuisson. Entaillez la bordure de gras pour éviter que la viande ne s'enroule.

• *Vous pouvez vérifier le degré de cuisson de la viande simplement au toucher. Utilisez le dos d'une fourchette ou votre doigt pour ne pas percer la viande et laisser ainsi les jus s'échapper. La viande bien cuite sera ferme au toucher; la viande cuite à point reprendra sa forme; et la viande saignante sera tendre. Faites griller la viande à 4 à 6 pouces (10 à 15 cm) de la source de chaleur. Ne salez la viande qu'à la fin de la cuisson pour éviter qu'elle ne se dessèche.*

• *Surveillez toujours attentivement la cuisson des coupes de viande minces. N'achetez jamais les biftecks et les côtelettes qui sont mal coupés, soit minces d'un côté et épais de l'autre, car leur cuisson serait inégale.*

Hamburgers cajun, sauce bayou

Ces pâtés de boeuf assez épicés et servis avec une sauce piquante feront fureur auprès de tous. Les pâtés garderont davantage leur forme à la cuisson si vous les préparez à l'avance et si vous les réfrigérez.

1 lb	boeuf haché maigre	500 g
1/2	poivron vert, haché fin	1/2
2	gousses d'ail, hachées fin	2
1 c. à thé	cumin	5 ml
1 c. à thé	origan séché	5 ml
1/2 c. à thé	thym séché	2 ml
1/2 c. à thé	zeste de citron râpé	2 ml
1/2 c. à thé	sauce au piment fort	2 ml
1/4 c. à thé	sel	1 ml
4	petits pains kaiser, ouverts	4
	Feuilles de laitue	
	SAUCE BAYOU	
1/2 t	mayonnaise	125 ml
1 c. à tab	sauce chili	15 ml
1/2 c. à thé	sauce au piment fort	2 ml

■ Dans un bol, mélanger le boeuf avec le poivron, l'ail, le cumin, l'origan, le thym, le zeste de citron, la sauce au piment et le sel. Façonner la préparation en 4 pâtés, couvrir et réfrigérer pendant au moins 1 heure ou jusqu'à 8 heures.

■ Faire griller les pâtés sur une grille huilée au-dessus d'une braise d'intensité moyenne-vive, ou à puissance moyenne-forte sur le barbecue au gaz, pendant environ 5 minutes sur chaque côté, ou jusqu'à ce que les pâtés ne soient plus rosés à l'intérieur.

■ Entre temps, faire griller les pains sur le gril. Tartiner la partie inférieure des pains de sauce bayou. Déposer un pâté sur la sauce et couvrir d'une feuille de laitue et de l'autre partie du pain. Donne 4 portions.

■ **Sauce bayou:** Dans un petit bol, mélanger la mayonnaise et les deux sauces.

Boeuf à la créole et riz

Donnez un peu plus de piquant à ce plat coloré en y ajoutant un peu de sauce chili.

2 t	eau ou bouillon de boeuf	500 ml
1 t	riz à grain long	250 ml
1 lb	boeuf haché maigre	500 g
1/2 t	poivron vert haché	125 ml
1/2 t	céleri haché	125 ml
1/4 t	oignons verts hachés (parties verte et blanche)	60 ml
3	gousses d'ail, hachées fin	3
1	boîte (19 oz/540 ml) de tomates, non égouttées	1
1 c. à thé	origan séché	5 ml
1 c. à thé	thym séché	5 ml
1/2 c. à thé	poivre noir	2 ml
1/2 c. à thé	cumin	2 ml
	Une pincée de cayenne et de sel	

■ Dans une casserole munie d'un couvercle qui ferme bien, amener l'eau à ébullition. Ajouter le riz. Couvrir, réduire le feu et laisser mijoter pendant 15 minutes sans enlever le couvercle. Retirer du feu et laisser reposer, à couvert, pendant 3 à 5 minutes ou jusqu'à ce que le riz soit tendre.

■ Entre temps, dans une grande poêle à revêtement anti-adhésif, faire cuire le boeuf à feu moyen, en défaisant la viande, pendant 5 minutes. Jeter le gras. Ajouter le poivron vert, le céleri, les oignons et l'ail. Cuire en brassant pendant 5 minutes.

■ Ajouter les tomates, l'origan, le thym, le poivre, le cumin, le cayenne et le sel. Amener à ébullition en défaisant les tomates avec une cuillère de bois. Cuire à feu moyen-doux pendant 10 minutes. Augmenter le feu à vif et faire bouillir pendant 3 minutes ou jusqu'à ce que l'excès de liquide se soit évaporé. Servir sur le riz. Donne 4 portions.

Côtelettes d'agneau à la moutarde

Comme ce plat se prépare très rapidement, accompagnez-le de petits légumes cuits à la vapeur, tels que des choux de Bruxelles, des carottes tranchées, des pommes de terre en dés et du chou coupé en lanières.

1/3 t	chapelure	75 ml
1	grosse gousse d'ail, hachée fin	1
1/2 c. à thé	thym séché	2 ml
1/4 c. à thé	poivre	1 ml
1/4 t	moutarde de Dijon	60 ml
4	côtelettes d'agneau dans l'épaule (environ 3/4 po/2 cm d'épaisseur)	4

■ Dans un bol, mélanger la chapelure, l'ail, le thym et le poivre. Incorporer 3 c. à table (45 ml) de la moutarde. Enlever l'excès de gras des côtelettes et entailler les bords. Badigeonner les côtelettes, sur les deux côtés, du reste de la moutarde. Faire griller au four à 4 po (10 cm) de la source de chaleur pendant 5 minutes. Retourner les côtelettes et les couvrir de la chapelure assaisonnée. Faire griller pendant 2 à 3 minutes. Donne 4 portions.

Rouleaux au chou

Les recettes de rouleaux au chou sont innombrables. Mais celle-ci est peut-être la plus simple... et la plus délicieuse. Ces rouleaux sont aussi bons à leur sortie du four que réchauffés.

1	chou	1
1 t	riz à grain long	250 ml
3/4 lb	petit salé, haché fin	375 g
2	oignons, hachés fin	2
	Sel	
1	boîte (19 oz/540 ml) de jus de tomate	1

■ Avec un grand couteau affilé, couper le coeur du chou. Déposer le chou dans une casserole profonde et verser de l'eau bouillante dans le coeur du chou jusqu'à ce que le chou soit complètement couvert. Laisser reposer jusqu'à ce que les feuilles extérieures se détachent facilement, et faire bouillir ou cuire à la vapeur les feuilles jusqu'à ce qu'elles soient souples. Continuer ainsi avec le reste des feuilles.

■ Dans une casserole, amener 2 tasses (500 ml) d'eau à ébullition. Ajouter le riz et cuire à feu doux, à couvert, pendant 15 minutes. Égoutter.

■ Entre temps, dans une autre casserole, cuire le petit salé à feu moyen jusqu'à ce que le gras soit fondu. Ajouter les oignons et les faire cuire jusqu'à ce qu'ils soient légèrement dorés. Ajouter au riz cuit. Saler et poivrer.

■ Tapisser une plaque à rôtir avec les feuilles extérieures du chou. Déposer une petite cuillerée de la préparation au riz sur chaque feuille intérieure du chou. Rouler les feuilles, en repliant les extrémités, et déposer dans la plaque. (Si nécessaire, couper la nervure centrale des feuilles pour les rouler plus facilement.) Verser le jus de tomate sur les rouleaux. Recouvrir avec d'autres feuilles de chou. Couvrir et cuire au four préchauffé à 350°F (180°C) pendant 1 1/2 à 2 heures ou jusqu'à ce que les rouleaux soient tendres. Donne 6 à 8 portions.

Côtelettes de porc au gratin

Tous aimeront ces côtelettes de porc gratinées, apprêtées avec une généreuse garniture aux oignons. Accompagnez-les de pommes de terre cuites au four, de choux de Bruxelles à la vapeur et d'une salade de carottes.

1/4 t	beurre	60 ml
3 t	oignons finement tranchés	750 ml
1/3 t	piment doux ou poivron rouge en lamelles	75 ml
1/2 c. à thé	sel	2 ml
1/4 c. à thé	poivre	1 ml
1/4 c. à thé	thym séché	1 ml
6	côtes premières de porc (2 lb/1 kg)	6
1 t	bouillon de poulet	250 ml
	GRATIN	
3/4 t	chapelure	175 ml
1/2 t	fromage mozzarella ou fontina râpé	125 ml
1/2 t	parmesan frais râpé	125 ml
2 c. à tab	beurre, fondu	30 ml
	DÉCORATION	
	Lanières de poivron rouge (facultatif)	
	Thym frais (facultatif)	

■ Dans une grande poêle, faire fondre 2 c. à table (30 ml) du beurre. Y cuire les oignons à feu moyen-doux, en brassant souvent, pendant 15 minutes ou jusqu'à ce qu'ils soient bien tendres mais non dorés. Incorporer le piment, le sel, le poivre et le thym. À l'aide d'une écumoire, mettre la préparation dans un bol et réserver.

■ Dans la même poêle, faire fondre le reste du beurre. Y faire dorer les côtelettes (quelques-unes à la fois si la poêle est petite), sur les deux côtés, à feu moyen-vif.

■ Dans un plat à gratin d'une capacité de 8 tasses (2 L), étendre la moitié de la préparation aux oignons. Disposer les côtelettes de porc sur les oignons en les faisant se chevaucher, puis recouvrir du reste de la préparation aux oignons. Arroser du bouillon de poulet. Couvrir et cuire au four préchauffé à 400°F (200°C) pendant 40 minutes ou jusqu'à ce que les côtelettes soient tendres. Arroser les côtelettes deux ou trois fois pendant la cuisson.

■ **Gratin:** Mélanger la chapelure, les fromages et le beurre. Parsemer les côtelettes de cette préparation et remettre dans le four pendant 10 minutes ou jusqu'à ce que le gratin soit croustillant. Si désiré, faire griller pendant 2 minutes pour dorer le gratin. Garnir, si désiré, de lanières de poivron rouge et de thym frais, et servir. Donne 6 portions.

Bacon enrobé de pois glacé à la moutarde

Voici une façon originale, et rapide, d'apprêter le bacon enrobé de pois.

1/4 t	cidre	60 ml
1 lb	bacon enrobé de pois	500 g
4 c. à thé	cassonade tassée	20 ml
4 c. à thé	moutarde de Dijon	20 ml
	Une pincée de gingembre	

■ Dans un moule à tarte allant au micro-ondes de 9 po (23 cm) de diamètre, verser le cidre sur le morceau de porc. Couvrir et cuire à puissance moyenne (50 %) pendant 9 minutes, en retournant la pièce de viande et en tournant le plat à mi-cuisson.

■ Mélanger la cassonade, la moutarde et le gingembre, et en badigeonner la pièce de viande. Cuire à découvert à puissance moyenne (50 %) pendant 4 à 6 minutes ou jusqu'à ce que la viande soit bien chaude et ait une texture glacée à la surface. Couvrir et laisser reposer pendant 5 minutes. Trancher et servir. Donne 4 portions.

Jambon grillé, salsa à l'ananas

Servez ce plat léger avec des tranches de patate douce et du brocoli cuits à la vapeur.

1	boîte (14 oz/398 ml) d'ananas broyé non sucré	1
1 c. à tab	moutarde de Dijon	15 ml
4	tranches épaisses de jambon (environ 6 oz/175 g chacune)	4
2 c. à tab	oignon rouge haché	30 ml
2 c. à tab	persil frais haché	30 ml
1 c. à tab	salsa forte, en bouteille	15 ml
1 c. à tab	jus de citron	15 ml

■ Égoutter l'ananas et réserver 2 c. à table (30 ml) de jus dans un petit bol. Incorporer la moutarde au jus d'ananas et en badigeonner les tranches de jambon déposées sur une plaque à rôtir. Faire griller au four, sans les retourner, pendant 5 à 8 minutes ou jusqu'à ce qu'elles soient légèrement brunies sur les bords. Mélanger, dans un plat de service, l'ananas, l'oignon, le persil, la salsa et le jus de citron. Servir avec le jambon. Donne 4 portions.

Bacon enrobé de pois glacé à la moutarde ▶

Côtelettes de porc aux fruits

Ce plat, à la saveur fraîche et délicate, se prépare en un tournemain. Pour une réception impromptue, garnissez-le de quartiers de sanguine tel qu'illustré sur la couverture.

3 c. à tab	beurre	45 ml	2	kiwis, pelés et tranchés	2
4	côtelettes de porc (environ 1 1/2 lb/750 g)	4		(6 tranches chacun)	
2 c. à tab	oignon haché très fin	30 ml			
1 c. à tab	cassonade tassée	15 ml			
1 c. à tab	fécule de maïs	15 ml			
1/2 t	jus d'orange	125 ml			
1/2 t	bouillon de poulet	125 ml			
1/4 t	liqueur d'orange (facultatif)	60 ml			
1 c. à thé	zeste d'orange râpé	5 ml			
	Sel et poivre				
1	orange, pelée et tranchée	1			
1	pêche, pelée, dénoyautée et tranchée	1			

■ Dans une poêle, faire fondre 2 c. à table (30 ml) du beurre à feu moyen-vif. Y faire dorer les côtelettes sur les deux côtés pendant 8 à 10 minutes. Retirer de la poêle et réserver.

■ Faire fondre le reste du beurre dans la poêle et y cuire l'oignon jusqu'à ce qu'il soit ramolli. Parsemer de la cassonade.

■ Mélanger la fécule avec le jus d'orange. Verser dans la poêle avec le bouillon, la liqueur d'orange, si désiré, et le zeste d'orange. Amener à ébullition en raclant le fond de l'ustensile pour en détacher les particules. Saler et poivrer.

■ Remettre les côtelettes dans la poêle et réduire le feu. Couvrir et laisser mijoter pendant 10 minutes ou jusqu'à ce que les côtelettes soient tendres. Déposer les morceaux de fruits sur les côtelettes. Laisser mijoter pendant 1 à 2 minutes ou jusqu'à ce que les fruits soient bien chauds, en arrosant de temps à autre. Donne 4 portions.

Sandwichs à la saucisse italienne et peperonata

Voilà un plat qui ravira tous les amateurs de saucisse et de poivron. Il se prépare au micro-ondes.

4	saucisses italiennes épicées (environ 1 lb/500 g)	4
4	petits pains italiens	4
	PEPERONATA	
2 c. à tab	huile d'olive	30 ml
1	oignon, finement tranché	1
2	gousses d'ail, hachées fin	2
1	gros poivron rouge ou jaune, finement tranché	1
1	gros poivron vert, finement tranché	1
2	tomates, épépinées et hachées	2
2 c. à thé	basilic séché	10 ml
2 c. à thé	origan séché	10 ml
	Sel et poivre	

puissance maximale pendant 8 à 10 minutes ou jusqu'à ce que les légumes soient très tendres, en brassant deux fois. Réserver.

■ Mettre les saucisses en cercle sur le pourtour d'une plaque à rôtir allant au micro-ondes. Piquer les saucisses. Couvrir de papier ciré et cuire à puissance maximale pendant 4 à 6 minutes ou jusqu'à ce que les saucisses soient bien cuites, en retournant les saucisses et en tournant le plat une fois. Laisser reposer pendant 3 minutes.

■ Entre temps, envelopper sans serrer les petits pains dans des essuie-tout. Mettre au micro-ondes à puissance minimale (30 %) pendant 30 à 60 secondes ou jusqu'à ce que les pains soient chauds. Couper les petits pains en deux et les garnir d'une saucisse et de peperonata. Donne 4 portions.

■ **Peperonata:** Dans une casserole allant au micro-ondes d'une capacité de 8 tasses (2 L), mélanger l'huile, l'oignon et l'ail. Couvrir et cuire à puissance maximale pendant 2 minutes ou jusqu'à ce que l'oignon soit tendre, en brassant une fois.

■ Ajouter les poivrons, les tomates, le basilic, l'origan, du sel et du poivre au goût. Couvrir et cuire à

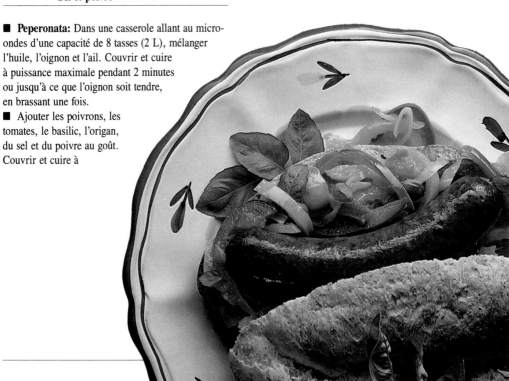

Sauté de porc à l'orange

Le sucre caramélisé donne à ce plat une riche couleur et une saveur légèrement sucrée.
Servez-le sur du couscous ou du riz.

3/4 lb	porc maigre sans os	375 g
2	courgettes	2
1	poivron rouge ou vert	1
2 c. à tab	sucre	30 ml
1/3 t	jus d'orange	75 ml
2 c. à tab	vinaigre de vin rouge	30 ml
2 c. à thé	zeste d'orange râpé	10 ml
1/4 t	bouillon de poulet	60 ml
1 c. à thé	cumin	5 ml
2 c. à thé	fécule de maïs	10 ml
2 c. à tab	huile végétale	30 ml
1 1/2 c. à thé	racine de gingembre râpée	7 ml
	Sel et poivre	

■ Couper le porc en diagonale en tranches de 1/8 po (3 mm) d'épaisseur. Éponger les tranches de porc. Couper les courgettes en tranches. Parer les poivrons et les couper en fines lanières. Réserver.

■ Dans une poêle à frire ou un wok, faire chauffer le sucre à feu moyen, en brassant constamment, pendant 2 à 3 minutes ou jusqu'à ce qu'il caramélise et soit brun doré. Incorporer le jus d'orange, le vinaigre et le zeste d'orange, et brasser jusqu'à ce que la sauce soit onctueuse. Verser dans une tasse à mesurer d'une capacité de 2 tasses (500 ml). Ajouter le bouillon et le cumin. Incorporer la fécule.

■ Bien essuyer la poêle et y faire chauffer l'huile à feu vif. Faire sauter le porc, en brassant souvent, pendant 2 minutes. Mettre le porc dans un plat. Faire sauter les courgettes, le poivron et le gingembre pendant 2 minutes, en brassant constamment et en ajoutant un peu d'huile si nécessaire. Remettre le porc dans la poêle. Verser la préparation liquide. Couvrir et cuire, en brassant de temps à autre, pendant 2 minutes. Saler et poivrer. Donne 4 portions.

Jambalaya éclair

Pour donner plus de saveur à ce plat, utilisez du jambon Forêt-Noire au lieu d'un jambon cuit ordinaire.

8	tranches de bacon, hachées	8
2 c. à tab	beurre	30 ml
1/2 t	oignon haché	125 ml
1	gros poivron rouge, haché	1
1	gousse d'ail, hachée fin	1
1 1/2 t	bouillon de poulet	375 ml
1	boîte (28 oz/796 ml) de tomates, égouttées et hachées	1
1 t	riz à grain long	250 ml
1 c. à thé	sel	5 ml
1/2 c. à thé	thym séché	2 ml
	Poivre	
1 lb	grosses crevettes, décortiquées et parées	500 g
1/2 lb	jambon cuit, coupé en fines lanières	250 g
	Un filet de sauce au piment fort	
	Persil frais haché	

■ Dans une grande casserole à fond épais, cuire le bacon à feu moyen pendant 5 minutes ou jusqu'à ce qu'il soit croustillant. Égoutter sur des essuie-tout et réserver.

■ Bien essuyer la casserole et y faire fondre le beurre. Y cuire l'oignon, le poivron et l'ail pendant 3 minutes ou jusqu'à ce qu'ils soient tendres. Ajouter le bacon, le bouillon de poulet, les tomates, le riz, le sel, le thym et du poivre au goût. Amener à ébullition, couvrir et laisser mijoter pendant 20 minutes.

■ Ajouter les crevettes et cuire pendant 5 minutes ou jusqu'à ce que les crevettes soient roses et tendres, ou jusqu'à ce que la plus grande partie du liquide ait été absorbée. Ajouter le jambon et la sauce au piment. Rectifier l'assaisonnement si désiré. Garnir avec le persil haché. Donne environ 4 portions.

Filets de sole à l'aneth

Les filets de sole surgelés enveloppés individuellement sont idéals pour les petites familles, car on peut les faire dégeler selon les besoins du moment. Tout autre poisson à chair blanche et ferme, frais ou congelé, peut être utilisé dans cette recette. Accompagnez ce plat de patates douces cuites au four et d'une salade de chou garnie de poivron.

4	filets de sole (environ 1/2 lb/250 g)	4
1 c. à tab	mayonnaise	15 ml
1/4 c. à thé	sel	1 ml
	Une pincée de poivre	
1/2	tranche de pain de blé entier grillée	1/2
2 c. à tab	aneth frais haché	30 ml
2 c. à thé	beurre	10 ml
1	gousse d'ail	1
1 c. à thé	zeste de citron râpé grossièrement	5 ml
2	quartiers de citron	2

■ Assécher les filets en les épongeant. Couvrir de mayonnaise la moitié la plus large de chaque filet. Saler et poivrer.

■ À l'aide du robot culinaire, réduire le pain en miettes. Ajouter l'aneth, le beurre, l'ail et le zeste de citron. Actionner l'appareil jusqu'à ce que l'ail soit finement haché. En parsemer les demi-filets couverts de mayonnaise. Replier la partie étroite des filets par-dessus la chapelure de façon à former un rouleau. Disposer dans un plat peu profond allant au four, de 8 po (2 L), graissé.

■ Cuire au four préchauffé à 450°F (230°C) pendant 10 minutes ou jusqu'à ce que le poisson se défasse aisément à la fourchette. Servir avec les quartiers de citron. Donne 2 portions.

Aiglefin poché aux tomates

Ce plat de poisson, facile à préparer, sera meilleur si vous utilisez du poisson frais. Vous pouvez également réaliser cette recette avec n'importe quel poisson à chair blanche.

1/4 t	huile d'olive	60 ml
2	oignons, hachés	2
2	carottes, émincées	2
1	boîte (19 oz/540 ml) de tomates prunes, non égouttées	1
1/2 t	vin blanc	125 ml
1	grosse d'ail, hachée fin	1
	Sel et poivre	
4	filets d'aiglefin (6 oz/175 g chacun)	4
1/4 t	cresson haché	60 ml

■ Dans une grande poêle, faire chauffer l'huile à feu moyen-vif. Y cuire les oignons et les carottes, à couvert, pendant 2 minutes ou jusqu'à ce qu'ils soient tendres. Ajouter les tomates, le vin, l'ail, du sel et du poivre. Amener à ébullition, baisser le feu à moyen et laisser mijoter pendant 3 minutes ou jusqu'à ce que la préparation ait épaissi.

■ Disposer les filets de poisson dans la sauce. Amener de nouveau à ébullition, baisser le feu à moyen-doux et laisser mijoter, à couvert, pendant 10 minutes par pouce (2,5 cm) d'épaisseur ou jusqu'à ce que le poisson se défasse aisément à la fourchette. Parsemer du cresson haché. Donne 4 portions.

Filets de sole à l'aneth ▶

Croque-monsieur au thon

Ce plat sans prétention, mais tout à fait délicieux, s'accompagne agréablement d'une salade de tomates et de céleri, et d'artichauts marinés.

3/4 t	mayonnaise	175 ml
4	pains pita	4
2	boîtes (6,5 oz/184 g chacune) de thon en flocons, égoutté	2
1/2 t	céleri haché	125 ml
1/2 t	cornichon à l'aneth haché fin	125 ml
2	oignons verts, hachés	2
	Sel et poivre	
1 t	cheddar râpé	250 ml

■ Tartiner chaque pain pita de 1 c. à table (15 ml) de mayonnaise. Mélanger le thon, le céleri, le cornichon, les oignons verts, le reste de la mayonnaise, du sel et du poivre au goût. Étendre sur les pains. Parsemer du fromage râpé de façon à recouvrir complètement les pains. Déposer sur une plaque à pâtisserie et faire griller au four, à 4 po (10 cm) de la source de chaleur, pendant 3 minutes ou jusqu'à ce que la préparation soit bouillonnante. Donne 4 portions.

Ragoût de poisson aux pâtes et aux fines herbes

Ce plat absolument savoureux sera meilleur si vous le préparez avec du poisson frais. Utilisez de la sole, de la morue ou de l'aiglefin. Servez le ragoût dans de grands bols et accompagnez-le de pain croustillant.

1 lb	filets de poisson	500 g
1	boîte (10 oz/284 ml) de petites palourdes	1
1 c. à tab	huile d'olive	15 ml
1 t	oignons verts hachés	250 ml
1	grosse gousse d'ail, hachée fin	1
1	boîte (28 oz/796 ml) de tomates, non égouttées, hachées	1
3 t	jus de tomate	750 ml
1/2 t	persil frais haché	125 ml
1 c. à thé	zeste de citron râpé	5 ml
1/2 c. à thé	basilic séché	2 ml
	Une pincée de flocons de piment fort	
1 t	coquilles ou autres pâtes alimentaires	250 ml

■ Couper le poisson en morceaux de 1 po (2,5 cm). Égoutter les palourdes en en réservant le jus.

■ Dans une grande casserole à fond épais, faire chauffer l'huile à feu moyen-vif. Y cuire les oignons et l'ail pendant 2 minutes ou jusqu'à ce qu'ils soient tendres. Ajouter les tomates, le jus de tomate, le jus des mollusques réservé, le persil, le zeste de citron, le basilic et les flocons de piment. Couvrir et amener à ébullition.

■ Ajouter les pâtes et baisser le feu. Laisser mijoter pendant 10 minutes. Ajouter le poisson et les palourdes, et laisser mijoter à couvert pendant 10 minutes ou jusqu'à ce que le poisson se défasse aisément à la fourchette. Donne 4 portions.

Pommes de terre farcies au thon et au brocoli

À la fois nutritif et peu coûteux, de préparation simple et rapide, ce plat est idéal un soir de semaine. Servez-le simplement avec une salade verte.

4	grosses pommes de terre	4
	Huile végétale	
5 t	bouquets de brocoli (1 pied)	1,25 L
1	boîte (6,5 oz/184 g) de thon, égoutté	1
1/4 t	céleri en dés	60 ml
1/4 t	oignons verts hachés	60 ml
1/2 t	mayonnaise	125 ml
1/2 t	crème sure	125 ml
1 c. à thé	moutarde de Dijon	5 ml
2 c. à tab	beurre, fondu	30 ml
	Une pincée de cayenne	
	Sel et poivre noir	

■ Nettoyer les pommes de terre avec une brosse et piquer la pelure avec une fourchette. Bien les enduire d'huile. Cuire au four préchauffé à 425°F (220°C) pendant 45 à 55 minutes.

■ Entre temps, dans une grande casserole d'eau bouillante, cuire le brocoli pendant 2 à 3 minutes. Égoutter et passer sous l'eau froide. Égoutter de nouveau et hacher grossièrement. Mettre dans un grand bol. Défaire grossièrement le thon en flocons et l'ajouter au brocoli avec le céleri et les oignons verts. Mélanger la mayonnaise, la crème sure et la moutarde. Réserver.

■ Couper les pommes de terre en deux dans le sens de la longueur et les évider en laissant assez de pulpe pour que les coquilles aient 1/4 po (5 mm) d'épaisseur. Badigeonner les pelures de beurre, déposer sur une plaque et réserver au chaud.

■ Dans un bol, réduire les pommes de terre en purée. Incorporer la préparation au brocoli et 3/4 tasse (175 ml) de la préparation à la mayonnaise. Assaisonner de cayenne, de sel et de poivre. Répartir la préparation dans les pelures de pommes de terre. Remettre au four pendant 15 minutes ou jusqu'à ce que les pommes de terre soient très chaudes. Garnir les pommes de terre farcies d'une cuillerée de mayonnaise moutardée. Donne 4 portions.

Filets de poisson panés aux arachides

La panure aux arachides permet de garder les filets de poisson bien tendres à l'intérieur et croquants à l'extérieur. Servez ce plat avec du riz aux petits pois et une salade de chou.

1 t	chapelure fine	250 ml
1/2 t	arachides finement hachées	125 ml
1/2 c. à thé	sel	2 ml
1/4 c. à thé	poivre	1 ml
2	oeufs, battus	2
4 c. à thé	huile végétale	20 ml
1 lb	filets de poisson	500 g

■ Dans un plat peu profond, mélanger la chapelure, les arachides, le sel et le poivre. Dans un petit bol, battre les oeufs avec l'huile. Éponger les filets de poisson avec des essuie-tout.

■ Tremper un à un les filets dans les oeufs battus, puis dans la chapelure. Déposer sur une plaque graissée. *(La recette peut être préparée jusqu'à cette étape. Couvrir et réfrigérer jusqu'à 6 heures.)* Cuire, à découvert, dans un four préchauffé à 450°F (230°C) pendant 6 minutes. Retourner les filets et cuire pendant encore 1 à 3 minutes ou jusqu'à ce que la panure soit croustillante et que les filets se défassent aisément à la fourchette. Donne 4 portions.

Roulades de sole au citron et au persil

Ce plat, qui se prépare au micro-ondes, est assez raffiné pour être servi lors d'une réception.

1 c. à tab	beurre	15 ml
1	oignon, haché	1
1	gousse d'ail, hachée fin	1
1/2 t	miettes de pain frais	125 ml
1/3 t	persil frais haché	75 ml
2 c. à tab	jus de citron	30 ml
1 c. à thé	zeste de citron râpé	5 ml
1/4 c. à thé	sel	1 ml
	Une pincée de poivre	
4	filets de sole (environ 1 lb/500g)	4

DU CONGÉLATEUR AU MICRO-ONDES

Transformez du poisson congelé en bloc en de délicieux bâtonnets de poisson. Faites chauffer un bloc de poisson de 1 livre (500 g) à puissance moyenne-faible (30 %) ou à décongélation pendant 2 à 3 minutes, jusqu'à ce que le poisson se coupe facilement avec un couteau. Coupez le bloc en travers en 8 bandes égales. Enrobez les bâtonnets de panure et disposez-les en rayons sur un plat tapissé de papier absorbant. Faites cuire à puissance maximale pendant 5 à 6 minutes, en tournant le plat une fois.

■ Dans une tasse à mesurer ou un bol allant au micro-ondes, d'une capacité de 4 tasses (1 L), faire fondre le beurre à puissance maximale pendant 30 secondes. Ajouter l'oignon et l'ail et cuire à puissance maximale pendant 1 à 2 minutes ou jusqu'à ce qu'ils soient tendres, en brassant une fois. Incorporer les miettes de pain, 1/4 tasse (60 ml) du persil, 1 c. à table (15 ml) du jus de citron, le zeste de citron, le sel et le poivre. Étendre uniformément sur les filets. En commençant par l'extrémité la plus fine, rouler les filets et fixer avec des cure-dents.

■ Disposer les roulades en cercle sur le pourtour d'un plat peu profond allant au micro-ondes. Arroser avec le reste du jus de citron. Couvrir et cuire à puissance maximale pendant 4 minutes ou jusqu'à ce que le poisson se défasse facilement à la fourchette. Parsemer du reste de persil. Donne 4 portions.

Pâtés de saumon et de maïs avec sauce à l'aneth et au concombre

Cette recette est idéale les soirs où vous n'avez plus rien au réfrigérateur, car il vous suffit pour la réaliser d'avoir sous la main une boîte de saumon et un peu de maïs congelé. Servez ces pâtés avec des betteraves marinées et des carottes au beurre.

3 c. à tab	huile végétale	45 ml
1	petit oignon, haché	1
1/2	poivron vert, en dés	1/2
1/2 t	maïs en grains congelé, dégelé et épongé	125 ml
1	gousse d'ail, hachée fin	1
1	boîte (15,5 oz/439 g) de saumon rose, non égoutté	1
2 c. à tab	persil frais haché	30 ml
2 c. à tab	jus de citron	30 ml
1	oeuf, légèrement battu	1
1/2 c. à thé	sel	2 ml
1/4 c. à thé	aneth séché	1 ml
	Une pincée de poivre noir	
	Une pincée de cayenne	
1/3 t	chapelure	75 ml
1/3 t	farine de maïs	75 ml
2 c. à tab	beurre	30 ml
	Sauce à l'aneth et au concombre (voir recette)	

■ Dans une poêle, faire chauffer 1 c. à table (15 ml) d'huile à feu moyen. Y cuire l'oignon, le poivron, le maïs et l'ail pendant 5 minutes. Laisser refroidir légèrement.

■ Dans un grand bol, mélanger le saumon (en écrasant les arêtes), le persil, le jus de citron, l'oeuf, le sel, l'aneth, le poivre noir, le cayenne et la préparation aux légumes. Incorporer juste assez de chapelure pour obtenir une préparation ferme mais humide.

■ Façonner en 8 pâtés d'environ 2 1/2 po (6 cm) de diamètre. Enrober de farine de maïs. Couvrir de papier ciré et réfrigérer pendant au moins 30 minutes ou jusqu'à 6 heures.

■ Dans une grande poêle à frire, faire chauffer le beurre et le reste de l'huile à feu moyen. Cuire les pâtés pendant 6 à 8 minutes, en les retournant une fois, ou jusqu'à ce qu'ils soient croustillants et dorés. Servir chaud avec la sauce à l'aneth et au concombre. Donne 4 portions.

SAUCE À L'ANETH ET AU CONCOMBRE

2/3 t	yogourt nature	150 ml
1/2 t	concombre pelé et épépiné, râpé	125 ml
1 c. à tab	aneth frais ciselé (ou 1/2 c. à thé/2 ml d'aneth séché)	15 ml
1/2 c. à thé	sucre	2 ml
	Sel	

■ Dans un bol, mélanger tous les ingrédients de la sauce. Couvrir et réfrigérer jusqu'à 2 heures. Donne environ 1 tasse (250 ml) de sauce.

Poisson au citron cuit au four

Le temps de cuisson du poisson variera selon l'épaisseur des filets. Calculez 10 minutes par pouce (2,5 cm) d'épaisseur.

1/2 c. à thé	zeste de citron râpé	2 ml
1 c. à tab	jus de citron	15 ml
1 c. à tab	huile végétale	15 ml
2	gousses d'ail, hachées fin	2
1 lb	filets de poisson	500 g
	Sel et poivre	

■ Dans un petit bol, mélanger le zeste et le jus de citron, l'huile et l'ail.

■ **Cuisson au four:** Disposer les filets de poisson en une seule couche dans un plat de cuisson peu profond. Saler et poivrer. Badigeonner de la préparation au citron. Cuire au four préchauffé à 450°F (230°C) pendant 8 à 10 minutes ou jusqu'à ce que le poisson devienne opaque.

■ **Cuisson au micro-ondes:** Disposer les filets de poisson, les parties les plus épaisses vers l'extérieur, dans un plat rond allant au micro-ondes. Saler et poivrer. Badigeonner de la préparation au citron. Couvrir de papier ciré et cuire au micro-ondes à puissance maximale pendant 4 à 6 minutes ou jusqu'à ce que le poisson soit opaque et se défasse aisément à la fourchette. Laisser reposer, couvert, pendant 5 minutes. Donne 4 portions.

Filets de poisson en papillotes

Pour cette recette, vous pouvez utiliser n'importe quel poisson frais ou congelé (dégelé) à la texture ferme comme l'aiglefin, la morue ou le rouget. Accompagnez ce plat de Riz au sésame (voir Plats de réception, p. 40).

4	filets de poisson (1 lb/500 g)	4
1 c. à tab	racine de gingembre hachée fin (ou 1/4 c. à thé/1 ml de gingembre moulu)	15 ml
1 c. à tab	sauce soya	15 ml
1	gousse d'ail, hachée fin	1
3/4 t	carottes émincées	175 ml
3/4 t	pois mange-tout	175 ml
2 c. à tab	oignon vert haché (parties verte et blanche)	30 ml

■ Couper quatre carrés de 12 po (30 cm) dans du papier d'aluminium. Plier chaque carré de papier en triangle, puis le déplier pour le remettre en carré. Disposer chaque filet, en repliant les extrémités en dessous, sur un côté du carré. Mélanger le gingembre, la sauce soya et l'ail, et en arroser les filets. Parsemer les filets des carottes, des pois mange-tout et de l'oignon vert.

■ Plier de nouveau en triangle et replier les bords par-dessus pour sceller les papillotes. Déposer les papillotes sur une plaque et cuire au four préchauffé à 450°F (230°C) pendant 10 à 12 minutes ou jusqu'à ce que les filets se défassent aisément à la fourchette et que les légumes soient tendres-croquants. Donne 4 portions.

Pizza aux tomates et aux artichauts, pâte à la farine de maïs

Pourquoi ne pas faire cuire la pizza sur le barbecue? Vérifiez d'abord si votre plaque à pizza n'est pas trop grande pour votre appareil. Si vous ne pouvez vous procurer de provolone, doublez simplement la quantité de mozzarella.

3/4 t	farine de blé entier	175 ml
1/2 t	farine tout usage	125 ml
1/2 t	farine de maïs	125 ml
1 c. à thé	levure chimique (poudre à pâte)	5 ml
1/2 c. à thé	bicarbonate de sodium	2 ml
1/2 c. à thé	sel	2 ml
1/2 c. à thé	basilic séché	2 ml
3/4 t	yogourt nature	175 ml
2 c. à tab	huile végétale	30 ml

GARNITURE		
3	tomates	3
1	pot (6 oz/170 ml) d'artichauts marinés	1
1/3 t	olives noires	75 ml
2	oignons verts	2
1 t	fromage mozzarella râpé	250 ml
1 t	fromage provolone râpé	250 ml
1/4 t	basilic frais en fines lanières (facultatif)	60 ml

■ Dans un grand bol, mélanger les farines, la levure chimique, le bicarbonate de sodium, le sel et le basilic. Mélanger le yogourt avec l'huile. Verser sur les ingrédients secs et incorporer avec une fourchette. Sur une surface légèrement farinée, pétrir légèrement la pâte en boule. Couvrir et laisser reposer pendant la préparation de la garniture.

■ **Garniture:** Entre temps, enlever le pédoncule des tomates, les couper en deux et les épépiner. Couper en pointes, puis chaque pointe en deux. Égoutter les artichauts et les couper en deux. Couper les olives en deux et les dénoyauter. Couper en diagonale la partie verte des oignons verts et réserver la partie blanche pour un autre usage. Dans un bol, mélanger les fromages mozzarella et provolone.

■ Sur une surface légèrement farinée, abaisser la pâte jusqu'à ce qu'elle ait 1/4 po (5 mm) d'épaisseur. Déposer sur une plaque à pizza graissée de 12 po (30 cm) de diamètre. Parsemer la pâte de 1 1/2 tasse (375 ml) de fromage en la recouvrant complètement. Garnir des tomates, des artichauts et des olives. Parsemer du reste de fromage et des oignons verts.

■ **Cuisson sur le gril:** Déposer la plaque à pizza sur le gril, à 4 à 6 pouces (10 à 15 cm) de la source de chaleur, au-dessus d'une braise d'intensité moyenne-vive, ou à puissance moyenne-élevée sur le barbecue au gaz. Couvrir et faire griller pendant 10 à 15 minutes, en tournant la plaque toutes les 3 minutes, jusqu'à ce que la pâte soit croustillante, le dessous doré et le fromage fondu. Si désiré, parsemer de basilic.

■ **Cuisson au four:** Déposer à l'envers une plaque à pâtisserie sur la grille inférieure du four, préchauffé à 500°F (260°C), et l'y laisser pendant 2 minutes. Entre temps, abaisser la pâte tel qu'indiqué précédemment et la déposer sur une plaque à pizza. Déposer la plaque à pizza sur la plaque à pâtisserie retournée et cuire pendant 5 à 7 minutes ou jusqu'à ce que la pâte soit ferme et légèrement dorée. Garnir des ingrédients de la garniture et cuire pendant 10 minutes ou jusqu'à ce que la pâte soit dorée et le fromage fondu. Donne 4 portions.

Frittata au brocoli et au cheddar

Ce plat peut être servi chaud ou à la température de la pièce. Accompagné de pain croustillant et de bâtonnets de carotte, il constitue un repas léger et nutritif.

3 t	bouquets de brocoli coupés en petits morceaux	750 ml
2 c. à tab	huile d'olive	30 ml
2	oignons, hachés	2
6	oeufs	6
1/3 t	lait	75 ml
1/2 c. à thé	sel	2 ml
	Une pincée de poivre	
1 t	fromage cheddar en dés (1/4 lb/125 g)	250 ml

■ Dans une grande casserole d'eau bouillante, cuire le brocoli pendant 3 à 4 minutes ou jusqu'à ce qu'il soit tendre-croquant. Égoutter et passer sous l'eau froide. Égoutter de nouveau et éponger. Réserver.

■ Dans une poêle de 10 po (25 cm) à l'épreuve de la chaleur, faire chauffer l'huile à feu moyen. Y cuire les oignons pendant 3 à 5 minutes. Retirer du feu et disposer le brocoli sur les oignons. Fouetter ensemble les oeufs, le lait, le sel et le poivre. Verser sur le brocoli. Parsemer des dés de fromage.

■ Poursuivre la cuisson à feu moyen-doux, à couvert, pendant 15 à 20 minutes ou jusqu'à ce que la frittata soit cuite mais encore humide à la surface. Faire griller au four pendant 2 minutes. Couper en pointes et servir. Donne 4 portions.

Pilaf de riz et de lentilles à l'espagnole

Ce plat sans viande peut être préparé la veille et réchauffé juste avant le repas. Pour un repas plus copieux, servez-le avec une salade.

2 t	bouillon de légumes	500 ml
1/2 t	lentilles vertes, rincées	125 ml
1/2 t	riz brun	125 ml
1	boîte (19 oz/540 ml) de tomates étuvées	1
1 1/2 c. à thé	basilic séché	7 ml
	Sel et poivre	
1 t	cheddar râpé	250 ml

■ **Méthode traditionnelle:** Dans une casserole, mélanger le bouillon, les lentilles, le riz, les tomates et le basilic. Amener à ébullition. Baisser le feu, couvrir et laisser mijoter pendant 50 à 60 minutes ou jusqu'à ce que les lentilles et le riz soient tendres.

■ **Méthode au micro-ondes:** Dans une casserole d'une capacité de 12 tasses (3 L), mélanger le bouillon, les lentilles, le riz, les tomates et le basilic. Couvrir et cuire à puissance maximale pendant 8 à 10 minutes ou jusqu'à ce que le liquide bouille. Cuire à puissance moyenne (50 %) pendant 40 à 45 minutes ou jusqu'à ce que les lentilles et le riz soient tendres. Laisser reposer pendant 5 minutes.

■ **Deux méthodes:** Saler et poivrer. Servir et parsemer chaque assiettée de fromage râpé. Donne 4 portions.

Omelette aux asperges

Pour un plat plus léger, utilisez six oeufs avec quatre blancs d'oeufs. Accompagnez de petits pains ou de scones et d'une salade de betteraves marinées et d'oignons verts.

2 c. à tab	beurre	30 ml
2 c. à tab	huile d'olive	30 ml
3 t	champignons tranchés	750 ml
1	gousse d'ail, hachée fin	1
8	oeufs	8
1/3 t	persil frais haché	75 ml
1/4 c. à thé	poivre	1 ml
1	boîte (12 oz/341 ml) de pointes d'asperges vertes, égouttées	1
1 t	fromage mozzarella râpé	250 ml
1/4 t	parmesan frais râpé	60 ml

■ Dans une grande poêle à frire munie d'une poignée à l'épreuve de la chaleur, faire chauffer la moitié du beurre et de l'huile à feu vif. Y cuire les champignons et l'ail, en brassant souvent, pendant 2 minutes ou jusqu'à ce que les champignons soient tendres. Retirer à l'aide d'une écumoire et réserver.

■ Jeter le liquide de la poêle et y chauffer le reste du beurre et de l'huile, à feu moyen, en penchant et en tournant la poêle pour bien en enrober le fond de corps gras. Mélanger les oeufs, le persil et le poivre, et verser dans la poêle. Couvrir et cuire à feu moyen-doux pendant 5 à 7 minutes ou jusqu'à ce que le dessus de l'omelette soit presque ferme. Parsemer de la préparation aux champignons. Disposer, comme les rayons d'une roue, les asperges par-dessus. Parsemer du fromage mozzarella et saupoudrer du parmesan. Faire griller au four jusqu'à ce que la surface soit dorée. Donne 4 portions.

Haricots à l'italienne

Simple et rapide, ce plat à la casserole est des plus nutritifs.

2 c. à tab	huile végétale	30 ml
2	carottes, hachées grossièrement	2
2	branches de céleri, hachées grossièrement	2
2	gousses d'ail, hachées fin	2
1	oignon, haché grossièrement	1
1	poivron vert, en dés	1
1	boîte (28 oz/796 ml) de tomates, non égouttées	1
1	boîte (5 1/2 oz/156 ml) de pâte de tomates	1
1 c. à thé	origan séché	5 ml
1 c. à thé	basilic séché	5 ml
	Une pincée de flocons de piment fort	
	Une pincée de sucre	
1/2 t	parmesan frais râpé	125 ml
	Sel	
1	boîte (19 oz/540 ml) de haricots blancs, égouttés	1
1	boîte (19 oz/540 ml) de pois chiches, égouttés	1
1 1/2 t	fromage mozzarella râpé	375 ml
1 t	miettes de pain frais	250 ml
1/4 t	persil frais haché	60 ml
2 c. à tab	beurre, fondu	30 ml

■ Dans une grande casserole, chauffer l'huile à feu moyen. Y cuire les carottes, le céleri, l'ail, l'oignon et le poivron vert pendant 7 minutes ou jusqu'à ce qu'ils soient tendres.

■ Ajouter les tomates, la pâte de tomates, l'équivalent en eau d'une boîte de pâte de tomates, l'origan, le basilic, les flocons de piment, le sucre et 2 c. à table (30 ml) du parmesan. Goûter et saler au goût. Amener à ébullition, réduire le feu, et laisser mijoter à découvert, en brassant souvent, pendant 20 minutes ou jusqu'à ce que la préparation soit légèrement épaisse. Incorporer les haricots et les pois chiches, et cuire pendant 15 minutes. Rectifier l'assaisonnement si désiré.

■ Verser la préparation dans un plat de cuisson graissé de 13 × 9 po (3 L). Parsemer du fromage mozzarella. Mélanger le reste du parmesan, le pain, le persil et le beurre, et en parsemer le plat. *(La recette peut être préparée jusqu'à cette étape. Couvrir et réfrigérer jusqu'à 24 heures. Laisser reposer à la température de la pièce pendant 30 minutes avant de mettre au four.)*

■ Cuire au four préchauffé à 375°F (190°C) pendant 20 à 30 minutes ou jusqu'à ce que la préparation soit bouillonnante. Donne 4 à 6 portions.

Frittata aux légumes

Ce plat ressemble à une quiche sans pâte ou à un soufflé. Faites-la dorer deux ou trois minutes sous le gril pour la rendre encore plus alléchante.

6	oeufs	6
1/4 t	lait écrémé	60 ml
1/4 c. à thé	poivre	1 ml
1 t	dés de pain de blé entier	250 ml
1 t	fromage mozzarella faible en matières grasses ou fromage suisse râpé	250 ml
2 oz	fromage à la crème, coupé en cubes	30 g
1 c. à tab	huile végétale	15 ml
1	oignon, haché	1
1 t	courgettes hachées	250 ml
1 t	champignons hachés	250 ml
1	poivron rouge ou vert, haché	1
2	gousses d'ail, hachées fin	2
1/2 c. à thé	origan séché	2 ml
	Une pincée de flocons de piment fort broyés	
2	tomates, tranchées finement	2
1/4 t	parmesan frais râpé	60 ml

■ Dans un grand bol, fouetter ensemble les oeufs, le lait et le poivre. Incorporer les dés de pain et les fromages. Réserver.

■ Dans une poêle à frire de 10 po (25 cm) à l'épreuve de la chaleur, faire chauffer l'huile à feu moyen-vif. Y faire sauter l'oignon, les courgettes, les champignons, le poivron, l'ail, l'origan et les flocons de piment pendant 2 à 3 minutes ou jusqu'à ce que les légumes soient tendres. Retirer du feu. Verser les oeufs et bien mélanger.

■ Disposer les tomates par-dessus et saupoudrer du parmesan. Cuire au four préchauffé à 375°F (190°C) pendant 25 minutes ou jusqu'à ce que la frittata soit ferme et dorée. Couper en pointes et servir. Donne 4 à 6 portions.

Fettuccine jardinière et amandes grillées

Accompagné de pain français, ce plat de pâtes aux légumes est des plus nutritifs. Vous pouvez remplacer le brocoli par du broco-chou-fleur.

2 t	bouquets de brocoli	500 ml
2 t	bouquets de chou-fleur	500 ml
1 t	asperges ou haricots verts en morceaux	250 ml
1 lb	fettuccine fraîches (ou 3/4 lb/ 375 g de nouilles sèches)	500 g
1/4 t	huile d'olive	60 ml
1	oignon, haché	1
1	carotte, hachée	1
1	petit poivron rouge, haché	1
4	gousses d'ail, hachées	4
1/2 t	bouillon de légumes ou eau	125 ml
3 c. à tab	basilic frais haché	45 ml
1/4 c. à thé	poivre	1 ml
1/2 t	parmesan frais râpé	125 ml
1/2 t	amandes en lamelles grillées*	125 ml

■ Cuire à la vapeur le brocoli, le chou-fleur et les asperges pendant 5 à 8 minutes ou jusqu'à ce que les légumes soient à la fois tendres et croquants. Entre temps, dans une grande casserole d'eau bouillante salée, cuire les pâtes fraîches pendant 5 à 7 minutes (les pâtes sèches, pendant 12 à 15 minutes) ou jusqu'à ce qu'elles soient tendres mais encore fermes. Bien égoutter.

■ Entre temps, dans une grande poêle, faire chauffer l'huile à feu moyen-vif. Y faire sauter l'oignon pendant 3 à 5 minutes ou jusqu'à ce qu'il soit bien doré. Ajouter la carotte, le poivron et l'ail. Faire sauter pendant 2 à 3 minutes ou jusqu'à ce que les légumes soient tendres-croquants. Ajouter aux pâtes égouttées avec les légumes cuits à la vapeur, le bouillon, le basilic et le poivre. Ajouter le parmesan et bien mélanger pour enrober. Disposer sur un plat de service et parsemer des amandes grillées. Donne 4 portions.

*Pour griller les amandes, les étendre sur une plaque à pâtisserie et les mettre dans un four préchauffé à 375°F (190°C) pendant 5 à 8 minutes ou jusqu'à ce qu'elles soient bien dorées.

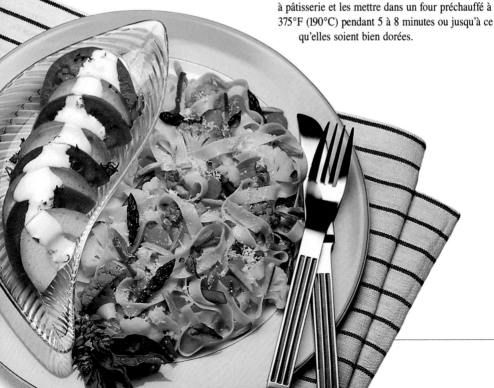

Macaroni au fromage et à la saucisse

Les enfants raffoleront de ce plat garni de gros morceaux de saucisse. Pour un repas végétarien, remplacez les saucisses par du tofu. Accompagnez le macaroni de bâtonnets de céleri et de radis.

2 t	macaronis coupés (1/2 lb/250 g)	500 ml
1 1/2 t	carottes émincées	375 ml
2 t	lait	500 ml
2 c. à tab	farine	30 ml
1 c. à tab	moutarde de Dijon	15 ml
4	saucisses viennoises, tranchées	4
2 c. à tab	beurre	30 ml
2 t	cheddar râpé (8 oz/250 g)	500 ml
4	oignons verts, hachés	4
	Sel et poivre	

■ Dans une grande casserole d'eau bouillante salée, cuire les macaronis pendant 5 minutes. Ajouter les carottes et cuire pendant 4 à 5 minutes. Égoutter.

■ Dans la même casserole, fouetter ensemble le lait, la farine et la moutarde. Cuire à feu moyen-vif, en fouettant, pendant 2 à 3 minutes ou jusqu'à ce que la sauce soit onctueuse et épaisse. Réduire le feu à moyen et cuire pendant encore 1 minute.

■ Remettre les pâtes et les carottes dans la casserole avec les saucisses et le beurre. Réchauffer, en brassant, pendant 2 à 3 minutes. Incorporer le fromage et les oignons et cuire pendant 1 minute. Saler et poivrer au goût. Donne 4 portions.

Pâtes au boeuf et au fromage

Si vous aimez les pâtes aux légumes, vous pouvez ajouter 1/4 tasse (60 ml) de maïs, de pois ou de carottes avec les tomates.

1 lb	boeuf haché maigre	500 g
1	oignon	1
1	gousse d'ail, hachée fin	1
1	poivron vert, haché	1
1 c. à thé	basilic séché	5 ml
1/2 c. à thé	thym séché	2 ml
1	boîte (28 oz/796 ml) de tomates broyées	1
1 t	eau	250 ml
2 t	rotini	500 ml
1/4 c. à thé	sel	1 ml
1/4 c. à thé	sucre	1 ml
	Une pincée de poivre	

1 t	fromage mozzarella râpé (1/4 lb/125 g)	250 ml

■ Dans une grande poêle à revêtement anti-adhésif, cuire le boeuf à feu vif, en brassant souvent, pendant 3 à 5 minutes ou jusqu'à ce qu'il ait perdu sa teinte rosée. Jeter le gras de la poêle sauf 1 c. à table (15 ml). Y cuire l'oignon, l'ail, le poivron, le basilic et le thym, en brassant souvent, pendant 2 minutes.

■ Incorporer les tomates et l'eau, et amener à ébullition. Ajouter les pâtes alimentaires et baisser le feu. Couvrir à demi et laisser mijoter, en brassant souvent, pendant 15 minutes. Ajouter le sel, le sucre et le poivre. Retirer du feu et parsemer du fromage. Couvrir et laisser reposer jusqu'à ce que le fromage soit fondu. Donne 4 portions.

Pâtes aux épinards et au pepperoni

Voici une façon originale, et rapide, de servir des épinards aux enfants. Servez ces pâtes avec du pain croustillant et des tranches de tomate.

3/4 lb	pâtes alimentaires (coquilles ou plumes)	375 g
1/3 t	huile d'olive	75 ml
3	gousses d'ail, hachées fin	3
3	oignons verts, hachés	3
1/2 t	chapelure fine	125 ml
1/4 lb	pepperoni, tranché finement	125 g
1	paquet (10 oz/284 g) d'épinards frais, hachés	1
2 c. à thé	zeste de citron râpé	10 ml
1/2 t	parmesan frais râpé	125 ml
	Sel et poivre	

■ Dans une grande casserole d'eau bouillante salée, cuire les pâtes pendant 9 à 12 minutes ou jusqu'à ce qu'elles soient cuites mais encore fermes. Égoutter et remettre dans la casserole.

■ Entre temps, dans une poêle à frire, faire chauffer 2 c. à table (30 ml) de l'huile d'olive à feu moyen-vif. Y cuire l'ail et les oignons, en brassant, pendant 1 minute ou jusqu'à ce qu'ils soient ramollis. Ajouter la chapelure et le pepperoni, et cuire, en brassant, pendant 2 à 3 minutes.

■ Retirer du feu et incorporer les épinards et le zeste de citron. Ajouter aux pâtes avec le parmesan et le reste de l'huile. Bien mélanger. Saler et poivrer. Donne 4 portions.

Fusilli aux légumes

Ce plat est idéal à l'heure du lunch ou pour un repas végétarien. Mais vous pouvez aussi l'apprêter avec de la viande en remplaçant le bouillon de légumes par du bouillon de poulet et en ajoutant des morceaux de dinde fumée, de jambon, de pastrami, de saumon ou de thon.

3 t	fusilli (environ 1/2 lb/250 g)	750 ml
1/4 t	beurre	60 ml
1 t	oignons hachés	250 ml
4	gousses d'ail, hachées fin	4
1 1/2 t	carottes en dés	375 ml
1 t	céleri haché	250 ml
2 t	champignons coupés en quatre	500 ml
2 t	courgettes en cubes	500 ml
1	gros poivron rouge, en dés	1
1/4 t	farine	60 ml
2 c. à thé	moutarde sèche	10 ml
2 c. à thé	thym ou basilic séché	10 ml
1 1/2 c. à thé	sel	7 ml
1/2 c. à thé	poivre	2 ml
1 1/2 t	bouillon de légumes	375 ml
2 t	lait	500 ml
1	boîte (19 oz/540 ml) de pois chiches, égouttés	1
2 t	cheddar râpé	500 ml
1 1/2 t	miettes de pain frais	375 ml
1/2 t	persil frais haché	125 ml

■ Dans une grande casserole d'eau bouillante salée, cuire les fusilli jusqu'à ce qu'ils soient tendres mais encore fermes, pendant environ 10 minutes. Égoutter et passer sous l'eau froide. Réserver.

■ Entre temps, dans une grande casserole à fond épais, faire fondre le beurre à feu moyen. Y cuire les oignons, l'ail, les carottes et le céleri pendant 5 minutes en brassant. Ajouter les champignons, les courgettes et le poivron rouge, et cuire pendant 5 minutes ou jusqu'à ce qu'ils soient tendres.

■ Incorporer la farine, la moutarde, le thym, le sel et le poivre, et cuire pendant 2 minutes en brassant. Incorporer graduellement le bouillon et le lait. Amener à faible ébullition et cuire en brassant pendant 5 minutes ou jusqu'à ce que la sauce soit épaisse. Ajouter les pois chiches et les fusilli. Rectifier l'assaisonnement si désiré. Mettre la préparation dans un plat allant au four de 13 × 9 po (3 L). *(La recette peut être préparée jusqu'à cette étape. Laisser refroidir, couvrir et réfrigérer jusqu'à 1 jour, ou congeler jusqu'à 2 mois. Faire dégeler avant de poursuivre la recette et ajouter 10 minutes au temps de cuisson.)*

■ Mélanger le fromage, le pain et le persil, et en parsemer le plat de pâtes. Cuire au four préchauffé à 375°F (190°C) pendant 45 minutes ou jusqu'à ce que le dessus soit croustillant et la préparation bouillonnante. Donne environ 8 portions.

Sauce piquante à la tomate et au boeuf

Cette sauce, à laquelle on a ajouté une pincée de cannelle pour lui donner un petit goût piquant différent, accompagne à merveille les rigatoni, les penne ou les rotini. Servez-les avec du parmesan frais râpé.

2 c. à tab	huile végétale	30 ml
1 lb	boeuf haché	500 g
2 c. à tab	beurre ou huile végétale	30 ml
2 t	champignons en dés	500 ml
2	petits oignons, hachés	2
1/4 t	carotte hachée	60 ml
2	boîtes (19 oz/540 ml) de tomates	2
1 t	eau	250 ml
1/4 t	pâte de tomates	60 ml
1/2 c. à thé	sel, poivre, sucre et basilic séché (chacun)	2 ml
	Une pincée de cannelle	
1/4 t	persil frais haché	60 ml

■ Dans une grande poêle, faire chauffer l'huile à feu moyen-vif. Y cuire le boeuf, en le défaisant en morceaux, pendant 6 minutes ou jusqu'à ce qu'il ne soit plus rose. À l'aide d'une écumoire, retirer le boeuf de la poêle et le réserver. Jeter le gras.

■ Dans la même poêle, faire fondre le beurre à feu moyen. Y cuire les champignons, l'oignon et la carotte pendant 6 minutes ou jusqu'à ce qu'ils soient tendres. Remettre la viande dans la poêle.

■ Ajouter les tomates en les défaisant en petits morceaux. Incorporer l'eau, la pâte de tomates, le sel, le poivre, le sucre, le basilic et la cannelle. Amener à ébullition. Baisser le feu et laisser mijoter à découvert, en brassant souvent, pendant 30 minutes ou jusqu'à ce que la sauce ait épaissi. Rectifier l'assaisonnement. Incorporer le persil. Donne 8 portions.

Lasagne en rouleaux

Ce plat a l'avantage de pouvoir être préparé à l'avance.

8	lasagnes	8
6 t	Sauce piquante à la tomate et au boeuf (recette ci-dessus)	1,5 L
1 1/2 t	fromage mozzarella râpé	375 ml
1/4 t	parmesan frais râpé	60 ml

■ Dans une grande casserole d'eau bouillante salée, cuire les lasagnes jusqu'à ce qu'elles soient tendres mais encore fermes. Égoutter, passer sous l'eau froide et réserver.

■ Étendre environ 3/4 tasse (175 ml) de sauce dans un plat allant au four, graissé, de 11 × 7 po (2 L). Étendre environ 1/2 tasse (125 ml) de sauce sur chaque nouille. Rouler délicatement chaque nouille et déposer, le pli en dessous, dans le plat. Napper avec le reste de la sauce. Couvrir et cuire au four préchauffé à 350°F (180°C) pendant 45 minutes ou jusqu'à ce que la sauce soit bouillonnante.

■ Parsemer du fromage mozzarella et du parmesan. Cuire pendant 5 à 10 minutes ou jusqu'à ce que les fromages soient fondus et le dessus du plat légèrement doré. Donne 4 à 6 portions.

Lasagne aux champignons

Cette version végétarienne de la lasagne peut être allégée en utilisant des fromages mozzarella et cottage à faible teneur en matières grasses. N'employez pas d'huile d'olive et faites cuire à feu doux les légumes avec les tomates.

2 c. à tab	huile d'olive	30 ml
1	petit oignon, haché fin	1
1	gousse d'ail, hachée fin	1
1	branche de céleri, hachée fin	1
3/4 lb	champignons, émincés	375 g
1/2	poivron rouge, haché fin	1/2
2 t	tomates prunes en boîte	500 ml
1/2 c. à thé	thym, origan et basilic séchés (chacun)	2 ml
	Sel et poivre	
4	lasagnes	4
1 1/2 t	fromage cottage	375 ml
1 1/2 t	fromage mozzarella râpé	375 ml
1/4 t	parmesan frais râpé	60 ml

■ Dans une casserole, faire chauffer l'huile à feu moyen. Y cuire l'oignon, l'ail et le céleri pendant 3 minutes ou jusqu'à ce que l'oignon soit ramolli. Ajouter les champignons et le poivron, et cuire, en brassant de temps à autre, pendant 5 minutes ou jusqu'à ce que le liquide se soit évaporé.

■ Ajouter les tomates, le thym, l'origan et le basilic. Amener à ébullition. Baisser le feu et laisser mijoter à découvert pendant 15 à 20 minutes ou jusqu'à ce que la sauce soit épaisse. Saler et poivrer.

■ Dans une grande casserole d'eau bouillante légèrement salée, cuire les pâtes jusqu'à ce qu'elles soient tendres mais encore fermes. Égoutter et passer sous l'eau froide. Étendre sur un linge humide.

■ **Assemblage:** Étendre le quart de la préparation aux champignons dans un plat carré allant au four de 8 po de côté (2 L). Couvrir d'une couche de nouilles en coupant les extrémités qui dépassent et en utilisant celles-ci pour combler les vides. Étendre la moitié du fromage cottage sur les pâtes, puis parsemer de la moitié du fromage mozzarella. Couvrir d'un quart de la préparation aux champignons.

■ Répéter les opérations avec le reste des ingrédients, en terminant avec une couche de préparation aux champignons. Saupoudrer du parmesan. Cuire au four préchauffé à 350°F (180°C) pendant 35 minutes ou jusqu'à ce que la préparation soit bouillonnante sur les côtés.

Donne 6 portions.

Remerciements

Les personnes suivantes ont créé les recettes de la COLLECTION CULINAIRE COUP DE POUCE: **Elizabeth Baird, Karen Brown, Joanna Burkhard, James Chatto, Diane Clement, David Cohlmeyer, Pam Collacott, Bonnie Baker Cowan, Pierre Dubrulle, Eileen Dwillies, Nancy Enright, Carol Ferguson, Margaret Fraser, Susan Furlan, Anita Goldberg, Barb Holland, Patricia Jamieson, Arlene Lappin, Anne Lindsay, Lispeth Lodge, Mary McGrath, Susan Mendelson, Bernard Meyer, Beth Moffatt, Rose Murray, Iris Raven, Gerry Shikatani, Jill Snider, Kay Spicer, Linda Stephen, Bonnie Stern, Lucy Waverman, Carol White, Ted Whittaker** et **Cynny Willet.**

Photographes: **Fred Bird, Doug Bradshaw, Christopher Campbell, Nino D'Angelo, Frank Grant, Michael Kohn, Suzanne McCormick, Claude Noel, John Stephens** et **Mike Visser.**

Rédaction et production: Hugh Brewster, Susan Barrable, Catherine Fraccaro, Wanda Nowakowska, Sandra L. Hall, Beverley Renahan et Bernice Eisenstein.

Texte français: Marie-Hélène Leblanc.

Index

PROCUREZ-VOUS CES LIVRES À SUCCÈS DE LA COLLECTION
COUP DE POUCE
Le magazine pratique de la femme moderne

CUISINE SANTÉ

Plus de 150 recettes nutritives et délicieuses qui vous permettront de préparer des repas sains et équilibrés, qui plairont à toute votre famille. Des entrées appétissantes, des petits déjeuners et casse-croûte tonifiants, des salades rafraîchissantes, des plats sans viande nourrissants et des desserts légers et délectables. Ce livre illustré en couleurs contient également des tableaux sur la valeur nutritive de chaque recette, des informations relatives à la santé et à l'alimentation, et des conseils pratiques sur l'achat et la cuisson des aliments....*24,95 $ couverture rigide*

CUISINE MICRO-ONDES

Enfin un livre qui montre comment tirer parti au maximum du micro-ondes. Ce guide complet présente plus de 175 recettes simples et faciles, 10 menus rapides pour des occasions spéciales, l'ABC du micro-ondes, des tableaux et des conseils pratiques. Vous y trouverez tout, des hors-d'oeuvre raffinés aux plats de résistance et aux desserts alléchants. Un livre indispensable si l'on possède un micro-ondes....*29,95 $ couverture rigide*

CUISINE D'ÉTÉ ET RECETTES BARBECUE

Profitez au maximum de la belle saison grâce à ce livre abondamment illustré de merveilleuses photos en couleurs regroupant plus de 175 recettes et 10 menus. Outre des grillades de toutes sortes, vous y trouverez des soupes froides, des salades rafraîchissantes, de savoureux plats d'accompagnement et de superbes desserts. Des informations précises et à jour sur l'équipement et les techniques de cuisson sur le gril font de ce livre un outil complet et essentiel pour la cuisine en plein air....*24,95 $ couverture rigide*

Ces trois livres de la collection *Coup de pouce* sont distribués par Diffulivre et vendus dans les librairies et les grands magasins à rayons. Vous pouvez vous les procurer directement de *Coup de pouce* en envoyant un chèque ou un mandat postal (au nom de *Coup de pouce*) au montant indiqué ci-dessus, plus 3 $ pour les frais d'envoi et de manutention et 7 % de TPS sur le montant total, à:
Coup de pouce, C.P. 6416, Succursale A, Montréal (Québec), H3C 3L4.